D0674178

ELIJKE NEDERLANDEN

Münster

BRABANT

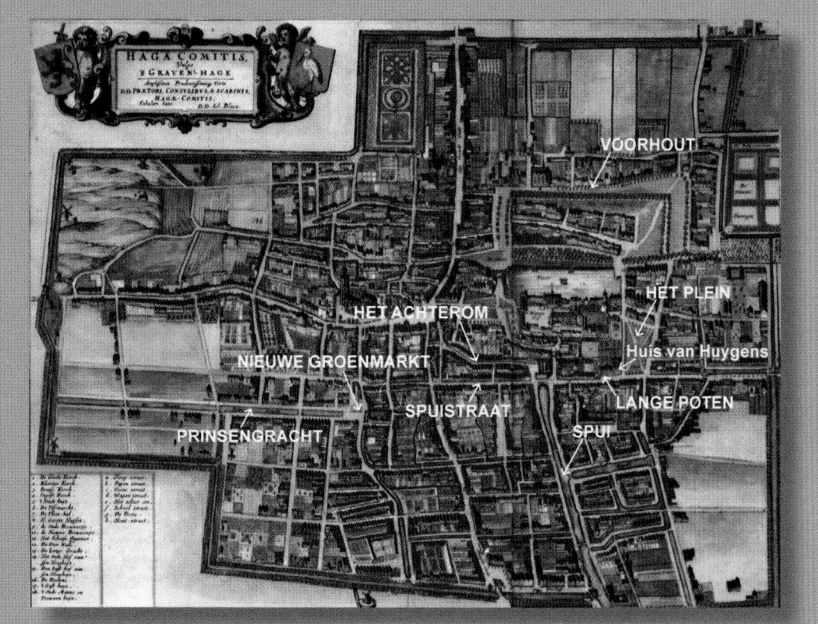

Den Haag omstreeks 1652

Sterre

Rieks Veenker

Met illustraties van Mirèn van Alphen

Sterre

De familie Huygens in de Gouden Eeuw

Rieks Veenker

ISBN 978 90 8560 578 2
NUR 210/283

Boekverzorging: Merel van Dam, Uitgeverij SWP
Illustraties: Mirèn van Alphen
Illustratie schutbladen: Yland Design
Tekstbewerking: Ida Schuurman
Historisch adviseur: Ron Meijer

Niño is een imprint van Uitgeverij SWP
Voor meer informatie: www.niñoboeken.nl
Voor België: www.epo.be

Inhoud

Als je een woord met een * tegenkomt, vind je de betekenis ervan aan het eind van het hoofdstuk.

Terug in de tijd

Den Haag, voorjaar 1649. Bijna een jaar na de 'geboorte' van de Republiek der Zeven Verenigde Nederlanden. In 1648 is de Vrede van Münster getekend en is de Republiek onafhankelijk van Spanje geworden. Na tachtig jaar oorlog voeren hebben de Spanjaarden en de Nederlanders eindelijk de strijdbijl begraven. Voor veel Hollanders en Zeeuwen breken gouden tijden aan. Op zee bestaat geen gevaar meer dat handelsschepen door de Spanjaarden worden gekaapt. Scheepsladingen vol specerijen en andere kostbaarheden worden uit Azië naar de Republiek vervoerd. Ook de handel op Afrika en de 'Nieuwe Wereld', zoals Noord- en Zuid-Amerika in die tijd worden genoemd, bloeit als geen andere.

Iemand die in de Gouden Eeuw veel voor de Republiek heeft betekend, is stadhouder* prins Frederik Hendrik, de jongste zoon van prins Willem van Oranje. Helaas heeft hij de vrede niet meer meegemaakt. Een jaar voor de officiële ondertekening van het vredesverdrag is hij gestorven. De 'stedendwinger', zoals prins Frederik Hendrik ook wel wordt genoemd, was erg geliefd. Hij heeft ervoor gezorgd dat uit veel Nederlandse steden de Spanjaarden zijn verdreven.

Misschien lijkt het vreemd, maar er zijn in de Republiek ook mensen die het jammer vinden dat de oorlog voorbij is. Bijvoorbeeld de Zeeuwen en de nieuwe stadhouder, prins Willem II: zij willen best nog een tijdje doorvechten. Want al kost een huurleger veel geld, met het kapen* van Spaanse schepen is ook heel veel geld te verdienen. Wie kent niet het verhaal van de Zeeuw Piet Hein, die bij Cuba een complete Spaanse handelsvloot verovert? De lading zilver heeft, omgerekend naar euro's, een waarde van meer dan 120.000.000 euro! Een groot deel van de winst gaat naar de stadhouder en de kapitein. Geen wonder dat die twee samen best nog eens opnieuw zo'n kunstje willen vertonen.

Maar de meeste Nederlanders zijn blij met de vrede.

Zoals ook Constantijn Huygens. Over hem en zijn vijf kinderen gaat dit verhaal. Vooral zijn zoon Christiaan schopt het heel ver als wetenschapper en uitvinder.
Constantijn begint zijn loopbaan in dienst van stadhouder prins Frederik Hendrik. Als persoonlijk secretaris*: een topfunctie, die ook heel goed verdient. Als Frederik Hendrik overlijdt, wordt Constantijn secretaris van stadhouder prins Willem II, en weer later van stadhouder prins Willem III.
Dat vader Constantijn rijk en voornaam is, kun je goed zien op het portret dat hij van zichzelf en zijn vrouw Suzanna heeft laten maken. Helaas wordt Suzanna vlak na de geboorte van haar vijfde kind, dochter Suzanna, ernstig ziek. Een paar maanden later gaat de moeder dood.

Vader Constantijn is een echte duizendpoot. Behalve dat hij het uitstekend doet als secretaris, heeft hij veel talent voor talen. Hij spreekt en schrijft uitstekend Frans, Latijn, Grieks, en later ook Italiaans en Engels. Voor prins Frederik Hendrik is dat natuurlijk erg handig, omdat Constantijn voor zijn werk regelmatig in het buitenland moet zijn. Ook maakt hij muziek, schrijft hij gedichten en tekent hij.

Frederik Hendrik, stadhouder

De oudste zoon van vader Constantijn heet ook Constantijn. Die zal later zijn vader opvolgen als secretaris van stadhouder prins Willem III.
Om het niet ingewikkelder te maken dan het al is, wordt de vader senior en de zoon junior genoemd.
De tweede zoon van Constantijn senior is Christiaan. Hij is net zo'n duizendpoot als zijn vader. Ook hij kan goed musiceren en tekenen,

en hij spreekt vloeiend zijn talen. Maar beroemd wordt Christiaan als natuurkundige: dat is zijn passie. Daarnaast is hij een kei in wiskunde en astronomie*. Zo heeft Christiaan ontdekt dat de planeet Saturnus net als de aarde een maan heeft. En dat er rond deze planeet een soort platte 'ring' van stof en gruis zweeft. Ook heeft hij veel technische apparaten ontworpen en gebouwd, zoals bijvoorbeeld superlange verrekijkers waarmee hij de maan en de sterren bestudeert.
De bekendste uitvinding van Christiaan is de slingerklok: een klok die dankzij een slinger aan het uurwerk heel nauwkeurig de tijd aan kan geven. Als Christiaan 37 jaar oud is, wordt hij door de Franse koning Lodewijk de Veertiende uitgenodigd om bij hem in Parijs te komen werken. Een hele eer. Veel beroemde wetenschappers wonen en werken daar.
En dan zijn er nog de twee jongere broers Lodewijk en Philips, en natuurlijk de jongste van het stel: Suzanna. Vooral zij kan prachtig vertellen. Zij vertelt dan ook het verhaal in dit boek.
In de zomer trekt de familie Huygens naar het dorpje Voorburg, vlak bij Den Haag. Daar heeft Constantijn senior een buitenhuis laten bouwen met een gigantische tuin vol fruitbomen en een grote vijver: Hofwijck.

Astronomie: sterrenkunde. De wetenschap die zich bezighoudt met alles wat er in het heelal gebeurt.
Kapen: dit mag alleen als het oorlog is. Speciaal daarvoor krijgen kapiteins een kapersbrief mee waarin officieel staat dat kapen mag. En dat is ook meteen het verschil tussen een kaper en een zeerover. Zeerovers hebben geen toestemming.
Secretaris: iemand die opschrijft wat er tijdens een vergadering wordt gezegd en besloten. Vaak moet hij ook de vergaderingen voorbereiden. Tijdens de oorlog gaat Constantijn senior altijd mee met stadhouder prins Frederik Hendrik op veldtocht.
Stadhouder: de machtigste man in de Republiek der Zeven Verenigde Nederlanden. Behalve dat hij wetten bedenkt en laat uitvoeren, is hij ook aanvoerder van het leger en de vloot.

Sterre

In de verte klinkt muziek: trompetten en een paar stevige trommelaars. Als het kermis* is, mag iedereen op staat muziek maken. Ik zou willen dat Lodewijk en Philips een beetje opschoten. Het is ook altijd hetzelfde liedje met die twee. Als ik allang klaarsta, moeten zij nog beginnen. Ik loop naar de schouw.
Daar hangt ze. Levensgroot, samen met papa. Al mijn hele leven kijkt ze me aan. En altijd met die onderzoekende blik van haar. Hoezo, zit mijn haar soms niet goed? Is mijn jurk niet naar uw zin? Langzaam draai ik me om voor het schilderij en laat mijn rode jurk van alle kanten zien. Mooi hè, mama? Net zo rood als die van u. Speciaal voor de kermis. Tante Suerius gaat er met Lodewijk, Philips en mij naar toe. Waar blijven die twee toch? Ik kan bijna niet meer wachten.
Omdat het vakantie is, is iedereen thuis. Constantijn kan niet mee. Die heeft het veel te druk, nu hij papa moet helpen met zijn werk. Want al is het vrede met de Spanjaarden, zegt papa, aan de nieuwe stadhouder Willem II en de Hollanders heeft hij zijn handen vol. 'De Amsterdammers hebben het niet zo op die zoon van Frederik Hendrik. Hij hindert met zijn oorlogszuchtige plannen veel te veel de handel. En eerlijk gezegd kan ik ze niet helemaal ongelijk geven.'
Papa maakt zich daar grote zorgen over. Willem II is uiteindelijk zijn baas.

En Christiaan? Die wil vast ook niet mee. Hij werkt het allerliefst op zolder aan zijn nieuwe vindingen.
Op het schilderij kijkt mama me nog steeds aan. Sterre noemt papa haar in zijn gedichten: mijn Sterre. Een maand geleden heeft hij mij een stukje voorgelezen uit een gedicht dat hij heeft gemaakt toen mama doodging.

Droom ik en is het nacht, of is mijn ster verdwenen
Ik waak, 't is overdag en ik zie mijn Sterre niet.

Oh hemel, die mij het zien van haar verbiedt,
Spreek mensentaal en zeg waar is mijn Sterre henen.

'Mijn lieve Sterre is dood', zei papa toen het gedicht uit was. Hij gaf me een dikke zoen op mijn wang. 'Maar jou heb ik gelukkig nog. Nu ben jij mijn kleine Sterre.'
'Wat betekent dat papa, de hemel die mensentaal spreekt?'
'De ster van jouw moeder is in de hemel daarboven. Daar straalt ze 's nachts vast en zeker even helder als alle andere sterren. Ach, kon ik met haar praten, dan vertelde ik haar over jou en die vier knappe broers van je. Héél even, al was het maar voor een paar minuten. Weet je, Suzanna, misschien schrijf ik daarom wel zo graag. In mijn gedichten kan dat wel.

Tachtigjarige Oorlog

In 1648 komt er officieel een einde aan de tachtigjarige oorlog met het machtige Spaanse Rijk. In het Duitse Münster wordt de vrede getekend. De reden dat de Noordelijke en Zuidelijke Nederlanden oorlog voeren met Spanje is simpel. In de zestiende eeuw zijn ze een soort provincie van Spanje. En dat willen ze niet meer. Dus komen ze in 1568 onder leiding van prins Willem van Oranje in opstand. Later nemen de zonen van Willem van Oranje, stadhouder prins Maurits en na hem stadhouder prins Frederik Hendrik de leiding in de opstand over. Maar halverwege de opstand besluiten de Zuidelijke Nederlanden te stoppen. Godsdienst speelt daarbij een belangrijke rol. De Zuidelijke Nederlanden willen, net als Spanje, katholiek blijven. De Noordelijke Nederlanden zijn voor het grootste deel protestant. Daarom verhuizen in de zeventiende eeuw veel rijke protestante Antwerpenaren naar Zeeland en, nog hoger, naar Amsterdam. Het geld dat ze meebrengen is natuurlijk meer dan welkom. Hierdoor, en door de bloeiende handel wordt Amsterdam in de Gouden Eeuw de snelst groeiende en machtigste koopmansstad van Europa.

Willem van Oranje als 22-jarig edelman

Met jouw moeder praten, bedoel ik. Mijn lieve Sterre. In mijn gedichten kan alles.'

Iedereen vindt dat ik op mama lijk. Wat wil je? Ik ben het enige meisje van ons vijven. En ook nog eens naar haar vernoemd. Is het gek dat ik op haar lijk? Papa moet heel veel van mama hebben gehouden, anders had hij haar nooit zo'n schitterende naam gegeven.

Met tante Suerius is het anders. Een paar dagen nadat mama is overleden, is ze bij ons in huis gekomen om voor ons te zorgen, maar papa is nooit verliefd op haar geweest. Daar is ze veel te narrig en bemoeiziek voor.

Tante Zeur. Zo noemen Lodewijk en Philips haar achter haar rug.

Soms is ze dat inderdaad: een echte ouwe zeur.

Tik. En nog een tik. Een of andere grapjas schiet met steentjes tegen de ruiten. Zo snel ik kan, ren ik naar het raam en duw het open. 'Hela, wie gooit daar...?'

'Hallo, Suzanna.'

'Dirk? Ben jij dat? Ben je helemaal gek geworden? Straks breekt er nog een ruit. Als papa merkt dat jij hier met steentjes...'

'Kom op, Suzanna, zo hard gooi ik ook weer niet.'

'Zo sterk is het glas ook weer niet. Moet je niet werken bij je vader?'

'Hij zit bij jullie binnen. Jouw vader wil dat wij de schoorstenen komen vegen. En vanmiddag heeft mijn vader me vrij gegeven om naar de kermis te gaan.'

'Da's ook toevallig. Wij gaan ook. De koets kan elk moment voorrijden.'

'Pff, een koets. Alleen rijke lui zoals jullie hebben er een. Waarom loop je niet gezellig met mij mee? Niks mis mee, hoor, de benenwagen.'

'In deze kleren zeker. Ik zie tante Suerius haar gezicht al.'

'Wat je wilt. Nou, misschien tot vanmiddag. Dag.' En weg is hij.

Kermis: een van de grootste kermissen in de Gouden Eeuw is die van Den Haag. Behalve allerlei voorstellingen, attracties en het vertonen van exotische beesten, is het ook een belangrijke jaarmarkt voor handelaren.

Titaan

Titaan ligt lekker voor de schouw te suffen. Plotseling spitst hij één oor. Als er iemand aankomt, hoort hij dat altijd veel eerder dan ik.
'Ha, Suzanna. Op jou kan ik tenminste rekenen. Die twee jongens...' Tante Suerius zucht als ze samen met Trijntje, de dienstmeid, binnenkomt. Het ruisen van haar rokken vult in één keer de tuinkamer. Ook het andere oor van Titaan flapt omhoog. Hij schiet overeind en rent enthousiast op Trijntje af. Vol verwachting blijft hij voor haar staan piepen. Daarbij kwispelt zijn staart zo hard heen en weer, dat zijn hele achterlijf schommelt. Dat betekent maar één ding: aandacht, Trijntje. Aandacht!
'Als je maar niet denkt dat ik die hond mee naar de kermis neem, Suzanna', zegt tante Suerius.
'Ik let wel zolang op dat naamgenootje van mij, tante.' Het is Christiaan die achter me staat. Ik heb hem niet binnen horen komen.
'Ga toch gezellig mee.' Papa komt direct achter Christiaan aan. 'Het is vast heel leuk op de kermis, Christiaan.'
'Ik ben niet zo'n kermisganger als Lodewijk en Philips, papa', antwoordt Christiaan. 'Bovendien heb ik straks een afspraak met twee glasslijpers* uit Dordrecht en Delft.'
'Toe, Christiaan. Doe het dan voor mij.'
'Suzanna, je weet dat je mijn lievelingszusje bent, maar zelfs voor jou ga ik niet mee. Laat mij toch lekker op zolder mijn nieuwe lenzen* slijpen. Ieder zijn eigen plezier.'
Hoezo, lievelingszusje? Ik ben zijn enige zusje.
'Lenzen slijpen', zegt papa. 'Waarom laat je dat niet door een brillenmaker doen? Daar zijn die mensen toch voor? Voor het geld hoef je het niet te laten. Jouw maandelijkse toelage van mij is meer dan voldoende.'
'Daar gaat het niet om, papa. Ze zijn gewoon niet goed genoeg. Ik weet zeker dat ik betere lenzen kan maken dan welke glasslijper dan ook.
Als ik het slijpen eenmaal onder de knie heb...'

'Lenzen slijpen is voor ambachtslieden. Daar ben jij veel te goed voor. In Breda ben jij op de universiteit de knapste leerling. Als je eenmaal diplomaat* bent, zoals ik, dan heb je daar geen tijd meer voor.'
'Excuus papa, maar ik weet helemaal niet of ik dat wel wil.'
'Pardon? Jouw grootvader, Christiaan, was secretaris van de Raad van State. De Raad van State! En ik ben secretaris van de stadhouder. Allebei zeer belangrijke functies in Den Haag. Mijn zoons wens ik ook zo'n succesvolle carrière toe.'
'Misschien voor Constantijn, papa, maar voor mij weet ik het niet zo zeker. Het liefst wil ik dingen onderzoeken. Uitvinden, bedenken, ontwerpen... En wat dat lenzen slijpen betreft: als je niet precies weet hoe je de dingen moet maken, kun je ze ook niet verbeteren.'
Titaan staat nog steeds voor Trijntjes neus te kwispelen. Al is hij er inmiddels bij gaan zitten. Als hij wil, kan hij erg lang volhouden. Vooral dat gepiep. In hondentaal betekent dat zoiets als: komt er nog wat van of hoe zit dat? Ik wil geaaid worden.
'Met uitvinden verdien je geen cent, tenzij je wereldberoemd wordt.'
'Oké, dan word ik toch gewoon wereldberoemd? Alle problemen opgelost. Titaan, schavuit, kom maar gezellig met mij mee naar boven. Lenzen slijpen is heel interessant voor een slimme hond als jij.' Christiaan tilt de piepende hond op en neemt hem mee de kamer uit.
'Als je maar zorgt dat hij op tijd wordt uitgelaten', roept tante hem na. 'Trijntje heeft wel wat anders te doen dan die viezigheid van dat beest opruimen.'

Titaan is ruim een maand bij ons in huis. Om precies te zijn: vanaf mijn verjaardag, 13 maart. Papa kwam met een pup in zijn armen binnen. Bruin op zijn rug, een wit snuitje, witte pootjes en een grappig wit streepje over zijn kop. En wat deed Titaan het eerst toen hij op de grond werd gezet? Door zijn pootjes zakken, midden in de kamer!
'Haha, ik zie het al', schaterde Lodewijk. 'Een rasecht zeikerdje. Weet je wel zeker, Suzanna, dat je een hond wil?'

Trijntje greep het beest onmiddellijk bij zijn halsband en sleurde hem de kamer uit naar buiten. Met op de vloer een spoor van nattigheid. Natuurlijk heeft hij in de tuin niets meer gedaan. Logisch, alles lag binnen.
'Nou, dat begint goed', hoorde ik tante Suerius tegen papa klagen. 'Als het aan mij had gelegen, neef Constantijn, was er nooit een pup in huis gekomen. Nooit!'
Papa trok zich gelukkig niets van haar aan. 'Oh ja', zei hij. 'Dat zou ik door al dat gedoe bijna vergeten. Dit is ook voor jou.' Uit zijn jaszak haalde hij een boek tevoorschijn. 'Het is traditie in de familie om van belangrijke gebeurtenissen een verslag te schrijven. Zeker van de reizen door Europa die de jongens moeten maken als ze van school zijn. Meisjes hoeven dat niet, maar jij bent wel twaalf geworden. Daarom voor jou een dagboek. Je mag er in opschrijven wat je wilt.'
De bruine leren kaft van het boek glansde van nieuwigheid. Met gekrulde gouden letters stond er *Sterre* op. De naam die papa aan mama heeft gegeven. En een beetje aan mij. Daaronder mijn eigen naam: Suzanna Huygens. De lege bladzijden in het boek brandden van nieuwsgierigheid. Wat ga jij, Suzanna Huygens, aan mij schrijven? Ik kon haast niet wachten om te beginnen.

'Hoe gaat u de hond noemen, juffrouw?' vroeg Trijntje even later in de tuin.
'Titaan.' Het was de eerste naam die in mij opkwam. Titaan, zo noemde ik Christiaan toen ik nog klein was. Over zijn naam brak ik vroeger altijd mijn tong. Net als over Lodewijk. Voor mij was hij Toot. Zijn vrienden noemen hem nog steeds zo. Maar Toot vind ik geen mooie hondennaam.
'Als Lieven straks de koets voorrijdt en die twee treuzelaars zijn nog niet klaar, vertrekken we gewoon zonder hen. Moeten ze maar opschieten', moppert tante Suerius. Driftig stapt ze de tuinkamer uit. Op tafel liggen mijn dagboek en schrijfgerei omdat ik er gisteren in heb geschreven. Mijn broers kennende, heb ik nog wel even tijd voor een kort stukje.

Woensdag 22 april 1649.

Lieve Sterre,
Vandaag gaan we naar de kermis. Met Lodewijk, Philips en tante Zeur. Jammer dat Titaan niet mee mag van haar, maar Christiaan wil wel zolang op hem passen. Ik kan maar een kort stukje schrijven, maar vanavond vertel ik je hoe het is geweest. Beloofd.

Trijntje, die nog steeds in de kamer is, kijkt van mij naar het schilderij. 'Rood staat u goed, juffrouw. Net als uw moeder. Het is uw lievelingskleur, hè?'
Ik knik. Trijntje is een echte schat.

Diplomaat: een vertegenwoordiger in het buitenland van de regering. Constantijn senior is als secretaris van de Stadhouder ook meteen een diplomaat.
Glasslijpers: vaak brillenmakers die van platte ronde stukjes glas lenzen slijpen.
Lenzen: ronde glaasjes die bol (vergrootglas) of hol (verkleinglas) geslepen zijn.

Aarnout van Overbeke

'Hé, Toot!' De jongen die door de poort het binnenplein op rent, komt me bekend voor. Volgens mij heeft hij vroeger met Constantijn en Christiaan op de Latijnse School* in Leiden gezeten.
'Aarnout van Overbeke, nee maar!' Lodewijk en hij begroeten elkaar uitbundig. 'Ga je met ons mee naar de kermis? Je kunt er vast nog wel bij.'
Aarnout kijkt van de koets naar tante Suerius, en weer naar Lodewijk.
'Nee, eh...' Ik zie nog net zijn wenkbrauwen die hij optrekt. Heel even.
'Met z'n allen in die koets lijkt me wat benauwd. Bovendien, zo ver is het niet. Maar wat heb ik gehoord, makker, moest je op school in Breda zo nodig duelleren met Steyn de Vries? Malle zot die je bent. Een militair van het garnizoen* nog wel. Die kunnen veel beter schermen dan jij. Je had geen schijn van kans gehad.'
'Praat me niet van dat hondsvot, Aarnout.'
'Lodewijk!' Tante Suerius roept hem bij zich. 'Let een beetje op je taalgebruik, wil je. En je weet hoe je vader over dat voorval denkt. Jouw duel van vorige maand zit hem nog vers in het geheugen.' Ze kijkt Lodewijk streng aan. 'Het is niet iets om trots op te zijn. Als het aan je vader had gelegen, jongmens, was je in de vakantie het huis helemaal niet uit geweest. Dat je naar de kermis mag, heb je aan mij te danken.'
'Op mijn verjaardag nog wel!' verdedigt Lodewijk zich, '13 maart en...' – Lodewijk werpt mij een schijnheilig kushandje toe – '...niet te vergeten: die van mijn schattige zusje. Een hondsvot, die Steyn! Ik zeg geen woord verkeerd.'
'Ik wil niet dat je er een geintje van maakt, Lodewijk. Als de rector* van de school jullie rapieren* niet had afgepakt, liep jij hier niet meer vrolijk op de kermis rond. Onder mijn verantwoordelijkheid heb jij je te gedragen. Punt.'
Met een kwade kop loopt tante Suerius naar de koets.
'Vertel op, wat is er gebeurd?' Aarnout is duidelijk niet onder de indruk van de strenge woorden van tante Suerius.

'Steyn had de meid in de keuken zo ver gekregen dat ze stiekem een kan wijn voor ons uit het vat zou tappen. Om mijn verjaardag te vieren. Na de schermlessen liep hij weg en kwam even later terug met twee volle nappen. Maar in plaats van lekkere koele wijn klokte ik een slok lauwe pis naar binnen. Die zeikerd had de nap onderweg uitgedronken en hem daarna gevuld met...'

'Haha, da's een goeie. Een nap vol zinselsap.'

Lodewijk lacht wat stijfjes mee. 'Pas maar op Aarnout', waarschuwt hij. 'Anders doe ik het ook bij jou. Ik heb de pis zonder pardon over zijn hoofd gegoten. Toen werd hij zo nijdig dat hij zijn degen trok. Kinderachtig, nietwaar?'

Aarnout veegt de tranen uit zijn ogen. 'Weet je, Toot? Het is zo'n goeie grap dat ik hem zelf had kunnen bedenken. Haha.'

'Zeg jongelui', snerpt tante Suerius' stem vanuit de koets. 'Gaan jullie nog mee of hoe zit dat?'

Op het Voorhout is het een drukte van jewelste. Jongleurs, goochelaars, marskramers, messenslijpers en nog veel en veel meer. Er is zelfs een dansende beer. De speelman heeft het beest gelukkig aan een stevig touw om zijn nek vast. Ik moet er niet aan denken dat hij losbreekt.

Schuin tegenover de draaimolen, naast de poppenkast, staat een schandpaal*. Een vrouw hangt met beide handen en een opgezwollen hoofd in de drie gaten tussen de twee balken geklemd. Struif van eieren die naar haar hoofd zijn gegooid, druipt langs haar rode wangen naar beneden. Net iets voor mijn broers.

'Wat heeft zij misdaan?' roepen ze in koor.

De man van de groentekar ernaast levert maar al te graag commentaar. 'Zakkenrollen, meneer! Op de markt nog wel. Ze mag nog van geluk spreken dat ze niet in het cachot* is gesmeten. Voor hetzelfde geld hadden ze haar kop afgehakt in plaats van in de schandpaal gehangen. Op zakkenrollen kan de doodstraf staan.'

Voor tien penningen* koopt Lodewijk zes eieren. De rest hoef ik niet te zien. Ik weet allang wat hij ermee van plan is.

Even verderop staat een speelman met een draailier. Dat had Christiaan vast leuk gevonden, dat weet ik zeker. Alles wat technisch is, boeit hem. En Constantijn ook, denk ik. Alhoewel… misschien had hij meer belangstelling gehad voor de meisjes die naar het schattige aapje staan te kijken. Als tante Suerius en ik langslopen, springt het beestje plotseling op mijn schouder en begint aan mijn haar te plukken.
'Hé, hou dat verrekte beest bij je', snauwt tante de speelman toe.
'Voor je het weet zitten we onder de vlooien.'

'Kom, kom', lacht hij. Het aantal tanden in zijn mond is op één hand te tellen. 'Zo'n vaart zal dat niet lopen, madammeke. Zal ik een schoon deuntje spelen voor het meiske?'
'Of nog erger', gaat tante onverstoorbaar door. 'Luizen. Als je dat beest niet bij je houdt, roep ik de schout. Begrepen?'
De man trekt de ketting waar het aapje aan vastzit snel naar zich toe.
'Zuurpruim', hoor ik hem achter haar rug mompelen. Ik kan hem niet helemaal ongelijk geven. Zo'n lief aapje doet toch niemand kwaad?
Philips pakt me bij mijn oor en blaast erin. 'Weet je dat luizen die in je oor kruipen, er van hun levensdagen niet meer uit komen? Je schijnt gek te worden van de jeuk. Soms moeten ze je oor afsnijden om je van die rotbeestjes te bevrijden. Zielig, hè?'
'Philips!' Tante Suerius valt opeens fel uit. 'Ik wil dat je daarmee stopt. Onmiddellijk. Doe dat maar bij Lodewijk of bij je vrienden. Maar niet bij Suzanna!'

Wonderolie

'*Hebt* u duivelse pijnen? Lijdt u aan ongeneeslijke ziekten?' Het geschreeuw van de man met de hoge hoed doet pijn aan mijn oren. 'Wonderolie, mensen. Wonderolie! Hét tovermiddel tegen jicht, bochels, hazenlippen en nog vele andere ongemakken!' Uit zijn borstzak haalt hij een klein groen flesje en houdt het triomfantelijk omhoog. 'Zelfs doven en blinden zijn met dit wondermiddel genezen.'

Al snel heeft zich een groep mensen rond de man verzameld. 'Doven die horen en blinden die weer kunnen zien! Wie wil dat niet? Wel mensen, met dit drankje kan dat. Ongelogen. Er gaat een wereld voor u open.'

'Knopendraaier, kwakzalver.' Van achteren stapt een oud gebocheld vrouwtje naar voren. Haar ene hand in haar zij gestoken. Met de andere leunt ze zwaar op een stok. 'Het drankje dat ik gisteren van je heb gekocht, deugt niet. Een sjacheraar, dat ben je! Een driedubbel overgehaalde oplichter!'

'Kalm, kalm.' De wonderdokter* draait zich glimlachend naar het vrouwtje om. 'Kalm een beetje, mevrouwtje. Ik heb u toch gezegd dat u een beetje geduld moet hebben?'
'Wat zegt u?' schreeuwt het vrouwtje terug. 'Schuld? Wie zijn schuld? Toch wel die van u, hoop ik, hè?'
'Alstublieft mevrouw. Geduld! Het drankje werkt pas na een dag of twee.'
'Twee? Twee drankjes? Daar hebt u mij niets over verteld. Dit is je reinste kwakzalverij. Waar is de schout? Ik wil mijn centen terug. Dacht u dat het geld mij op de rug groeide?'
'Was dat maar waar', grinnikt Aarnout. 'Met zo'n bult zou ze in één klap stinkend rijk zijn.'
Het vrouwtje tilt haar stok omhoog en komt dreigend op de wonderdokter af. 'Het is je reinste oplichterij!'
'Hier', zegt de man. Hij duwt het vrouwtje snel het groene flesje in haar handen, voor ze nog meer stampei maakt. 'Gratis, voor u. Wie weet, werkt mijn wondermiddel sneller als u er twee keer zoveel van inneemt.'
Het vrouwtje kijkt de wonderdokter argwanend aan. Met een vies gezicht klokt ze het goedje naar binnen. In één teug.
'En?' vraagt de dokter vriendelijk.
Het vrouwtje zegt niets, maar kijkt van de dokter naar de mensen om haar heen. 'Jakkes, wat een goor goedje. Bah.' Maar dan klaart haar gezicht plotseling op. 'Mijn bochel!'
Met de hand die ze tot nu toe in haar zij heeft gehouden, wrijft ze over haar rug. 'Het kriebelt. Ik geloof warempel dat mijn bochel slinkt.'
'Oh!' Enkele omstanders stappen van verbazing achteruit. Ook ik kan mijn ogen bijna niet geloven. Stukje bij beetje wordt de bochel kleiner. Tot hij nagenoeg verdwenen is. De mensen om haar heen klappen in hun handen.
'Ziet u wel dat ik gelijk heb?' grijnst de wonderdokter. 'Het is enkel een kwestie van geduld.'
'Gevuld?' wauwelt het vrouwtje en tuurt naar het lege flesje. Ze staat nagenoeg rechtop.
Verschillende mensen stappen op de wonderdokter af om ook zo'n flesje wonderolie te kopen.

'Ha, geduld', hoor ik Aarnout naast me schamperen. 'Laat me niet lachen. Een varkensblaas zul je bedoelen!'
'Een varkensblaas?' vraagt Philips verbaasd. 'Wat is daar mee?'
'Dat mens heeft een gedroogde varkensblaas onder haar kleren op haar rug gebonden. Wat ik je brom. Ze stinkt niet voor niets zo vreselijk. Opgeblazen en dicht gestrikt. Op het moment dat ze dat drankje naar binnen klokte, heeft ze de strik stiekem losgetrokken.'
Opeens rent Aarnout weg. 'Wacht hier op me', roept hij zonder achterom te kijken. Na een paar minuten is hij terug, gehuld in een donkerbruine bedelaarsmantel. 'Even geleend van een toneelspeler.' Uit zijn zak haalt hij twee rode pillen en stopt ze snel in zijn mond. 'Van een marskramer gekocht. Nepbloed. Als je zo'n pil stukbijt, komt er bloedrode smurrie uit. Het lijkt heel wat, maar het stelt niks voor. Let op', grijnst hij vanonder zijn kap. 'Nu gaan we lachen.'
'Een aalmoes*.' Zoekend steekt Aarnout zijn armen naar voren en strompelt naar de wonderdokter toe. 'Wie heeft er een aalmoes voor een arme blinde man?'
Lodewijk heeft kennelijk door wat Aarnout van plan is want hij stopt hem opzichtig een daalder toe. 'Hier, ouwe. Koop daar maar zo'n flesje wonderolie van.'
Aarnout knikt vriendelijk naar Lodewijk en schuifelt verder naar voren. Zijn armen nog steeds uitgestoken. 'Zei u daarnet niet dat u zelfs blinden kunt genezen met dat goedje?'
De dokter glimlacht. 'Jazeker, maar niet onmiddellijk. U moet wel geduld hebben.'
'Hoe lang?'
'Minstens een week. Blindheid is geen kattepis, meneer.'
'Vertel mij wat', mompelt Aarnout. 'Ik heb wel vaker een kat in de zak gekocht.'
'Succes gegarandeerd, meneertje. Succes gegarandeerd.'
'Dat is makkelijk praten', fluistert Lodewijk tegen Philips. 'Over een week is de kermis afgelopen. Dan zit hij lang en breed in een andere stad.'

'Doet u mij maar zo'n flesje.' Aarnout geeft de daalder aan de wonderdokter. 'Blinder dan nu kan ik er niet van worden.'
De dokter opent de kist die de hond naast hem op zijn rug draagt en geeft een flesje aan Aarnout. Die klokt de inhoud in één teug naar binnen.
Hij heeft het nog niet leeggedronken of hij begint vreselijk te kermen.
'Au, au!' kreunt hij en grijpt met beide handen naar zijn buik. 'Mijn buik, mijn maag! Au!'
Dan wankelt hij en valt huilend op zijn knieën. 'Wat is dat voor een goedje dat u mij hebt gegeven? Au, mijn maag.' Aarnout draait zijn hoofd in de richting van de wonderdokter. 'Help! Help, doe toch iets, man!'
Een dun straaltje nepbloed sijpelt uit zijn mondhoek en kruipt langs zijn wang naar beneden. 'Help me dan toch. Au, mijn maag. Zo meteen klapt hij nog uit elkaar!'
De mensen om hem heen stappen achteruit. Aarnout staat op en begint in het wilde weg om zich heen te slaan. 'Wonderolie, hè? Waar ben je, wonderdokter? Je hebt mij vergiftigd met je wonderolie. Help, ik ga dood!' Een vette rochel en Aarnout spuugt een bloederige slijmprop op straat. 'Kom hier als je durft, kwakzalver. Dan kan ik je eigenhandig de nek omdraaien voordat ik zelf de pijp uitga.' Aarnout stapt in blinde woede vooruit. Wankelend, met zijn armen tastend naar voren.
'Roep de schout*', schreeuwt Lodewijk.
'Grijp hem', roept iemand anders. 'Grijp die oplichter.'
De wonderdokter wacht de rest niet af. Als een razende grabbelt hij zijn spullen bij elkaar en maakt dat hij wegkomt. Ook het 'genezen' vrouwtje is pardoes in het niets opgelost. Lodewijk rent op Aarnout af om hem te ondersteunen.
'Schiet op', hoor ik Aarnout gniffelen als ze langskomen. 'Voor de schout werkelijk hier naartoe komt.' Samen verdwijnen ze tussen de mensen.
'Houd de dief. Houd de dief!' De man die al een tijdje naast tante Suerius staat, begint plotseling te schreeuwen. 'Hij daar. Daar!' Opgewonden wijst hij naar iemand die een eindje verderop zijn veter staat te strikken. Dirk!

Woensdagavond 22 april 1649.

Lieve Sterre,

Vandaag op de kermis is er iets vreselijks gebeurd. Tante Zeur is bijna beroofd van haar beurs en Dirk is beschuldigd van diefstal. Vreselijk, vind je niet? Ik weet zeker dat Dirk zoiets nooit zou doen.

Je kent Aarnout van Overbeke nog wel, hè? Die vriend van Lodewijk en Philips die ook in Den Haag woont. Die had net een ontzettend goede grap met een kwakzalver uitgehaald toen plotseling iemand naast tante Zeur begon te roepen: 'Houd de dief, houd de dief.' Daarbij wees hij naar Dirk die een eindje verderop stond.

Iedereen keek naar hem. Meteen werd hij door twee mannen beetgepakt. Maar niemand zag dat de man naast tante Zeur zijn hand in haar rokzak stak. Behalve ik. Zelfs tante had niets in de gaten. De man wilde stiekem wegsluipen, maar ik pakte razendsnel mijn parasol en stak die tussen zijn de benen. Hij struikelde natuurlijk. De beurs en alle geldstukken van tante Zeur vielen rinkelend op de straatkeien. Gelukkig heeft de schout de zakkenroller in het cachot gestopt.

Maar weet je wat nou het stomste is? Iedereen denkt dat Dirk en die man het samen hebben bedacht. Daarom wordt Dirk nu ook ondervraagd. Vind je dat niet gemeen?

Aalmoes: geld, meestal niet veel, om aan een bedelaar te geven.

Schout: het hoofd van de politie.

Wonderdokter: nepdokter die de mensen allerlei 'wonder'middeltjes verkoopt.

Verrekijker

'*Komt* het dan niet in die hersentjes van jou op dat die twee wel eens onder één hoedje kunnen spelen?' De prikkende vinger van Lodewijk doet zeer tegen mijn slaap.

Nijdig duw ik zijn hand weg. 'Waarom moet jij altijd het slechte van mensen denken? Zoiets zou Dirk nooit doen.'

'Hoe bedoel je? Haha', schaterlacht Lodewijk met volle mond. Bah, stukjes eten vliegen uit zijn mond op tafel. 'Ken je die jongen soms?'

'Een beetje. Een paar maanden geleden is hij hier in Den Haag komen wonen. Niet zo ver van ons vandaan. Op het Achterom. Zijn vader is schoorsteenveger.'

'En wat wil je daarmee zeggen?'

'Nou, gewoon...'

'Juist ja, gewoon. Weet je wat gewoon is, Suzanna? Dat dat soort lui altijd liegen en bedriegen. Voor hen is stelen gewoon. Leer mij ze kennen. De een trekt de aandacht zodat de ander iemand op zijn dooie gemakje pootje kan lichten. Heel gewoon. Ze hadden dit keer alleen de domme pech dat jij een stokje voor hun plannen hebt gestoken.'

'Een parasolletje kun je beter zeggen', grijnst Philips.

'Toevallig,' zegt Christiaan tegen Lodewijk, 'ken ik die jongen ook. En ik ben het volkomen met Suzanna eens. Volgens mij heeft zij een veel betere kijk op mensen dan jij. En ze is ook nog eens heel wat verstandiger.'

'Ken jij die zoon van de schoorsteenveger ook al, Christiaan?' vraagt Philips. 'Iedereen hier schijnt die Dirk opeens te kennen, behalve Lodewijk en ik.'

'Hij was hier gisteren met zijn vader. Toen ik hem vertelde dat ik lenzen slijp, was hij meteen geïnteresseerd. Hij is zelfs even bij mij op zolder geweest. Een bijzonder aardige jongen, die Dirk.'

'Geïnteresseerd in wat? Jouw lenzen of...' zegt Lodewijk.

Opeens heb ik schoon genoeg van die twee broers van me.

'Stop! Hou daar mee op, Lodewijk.' Ik voel mijn handen trillen. 'Dat jij zo nodig altijd iedereen voor de gek moet houden, betekent nog niet dat andere mensen ook zo in elkaar zitten. Hoe zeggen ze dat ook alweer? Zoals de waard is, vertrouwt hij zijn gasten. En jij, Philips...' Het kan me geen barst meer schelen wat ik zeg en wat iedereen van me vindt.
'Jij bent nog dommer dan je groot bent. Het enige wat jij kunt, is met dat stomme gedoe van Lodewijk meedoen. Bah, ik heb het even helemaal gehad met jullie twee.'
Zo, dat lucht op. Stelletje achterbakse oorblazers. Even is het helemaal stil aan tafel. Dat hadden ze niet verwacht. De knipoog van Christiaan doet me goed.
'Christiaan', zegt tante Suerius plotseling. 'Waar zijn jouw tafelmanieren gebleven?'
Ze is altijd al een kei geweest in het opeens veranderen van onderwerp.
'Wat is dat voor belachelijke vertoning om met links te eten?'
'Ik heb pijn aan mijn rechterpols', antwoordt Christiaan.
'Misschien,' zegt Constantijn lacherig, 'ben je iets te fanatiek geweest met lenzen slijpen.'
'Het slijpen op zich is geen probleem, broer. Maar het vasthouden van de stamper wel. Die moet ik constant in dezelfde stand vasthouden, anders komen er onregelmatigheden in de lens.'

Simpele slijpmachine

Veel brillenmakers in de zeventiende eeuw gebruiken een simpele slijpmachine om lenzen te slijpen. Christiaan ook. Met één hand draait de slijper het grote houten wiel rond. Het kleinere wiel, met het koperen bakje erop, gaat daardoor ook ronddraaien. In het bakje zit een laagje fijn zand: slijppoeder. Dan duwt hij met zijn andere hand een rond stukje glas in het zand. Het glas zit vastgeplakt op een houten stempel, de stamper. Stukje bij beetje slijpt het zand het glas in dezelfde vorm als het koperen bakje.

'Voor je het weet, beweegt mijn hand een beetje te veel naar links of rechts. En dan kan ik van voren af aan beginnen met een nieuw stuk glas.'
'Waarom maak je daar geen machientje voor, Christiaan?' vraag ik. 'Een apparaat dat de stamper klem houdt. Jij bent toch zo knap in het bedenken van die dingen?'
'Ja', zegt Constantijn, 'goed idee van Suzanna. Als ik het niet zo druk had met mijn werk, zou ik na het eten direct met je mee naar boven gaan om je te helpen. Gebruik je hoofd in plaats van je handen.'
'Of je voeten, haha.' Philips vindt zichzelf nogal grappig, zo hard lacht hij om zichzelf.
'Van je mond moet je het in ieder geval niet hebben, Christiaan', zegt Lodewijk met een grijns op zijn gezicht. 'Als het aan jou ligt, zeg je het liefst de hele dag niets. Dat wordt nog wat als papa je op reis stuurt als diplomaat. Dan moet je de hele dag kletsen.'
'Constantijn vindt dat misschien wel leuk, maar ik niet. Ik wil helemaal geen diplomaat worden. Ik wil uitvinden. En als ik jou een goede raad mag geven, Lodewijk: jij zou én minder je mond én meer je hersenen moeten gebruiken.'
'Ik weet niet, Christiaan, of jij beseft wat dat voor je vader betekent. Je zou hem enorm teleurstellen,' snauwt tante Suerius hem toe.
'Dat weet ik nog niet zo zeker, tante.' Hè, gelukkig. Constantijn neemt het voor Christiaan op. 'Papa is best trots op wat Christiaan allemaal kan en weet.'
'Hm.' Meer komt er niet uit tante Suerius.

'Ik wist niet dat je zo kwaad kon worden, Suzanna', fluistert Christiaan in mijn oor. Zijn pretogen liegen er niet om. 'Weet je dat je nog mooier bent als je boos wordt?'
'Begin jij nu ook al?'
'Kom op, Suzanna, ik mag je toch wel een beetje plagen? Maar je hebt wel een punt. Lodewijk maakt het erg bont de laatste tijd.'

'Als tante Suerius hem iets verbiedt, lacht hij haar achter haar rug vierkant uit. Misschien dat hij beter naar jou luistert. Jij bent uiteindelijk zijn oudere broer. Van jou pikt hij dat wel, denk ik. Ander onderwerp. Wat heb je daar in je hand?'
'Dit?' Christiaan houdt een rond stuk glas omhoog. 'Dit is een lens.
Voor een toverlantaarn, om precies te zijn.'
Een lantaarn die kan toveren? Zeker weer een van die uitvindingen van hem. Hij is altijd wel met een of ander geheimzinnig apparaat bezig.
'Hoe kom je daaraan?'
'Gekocht op de jaarmarkt* van een lenzenslijper uit Dordrecht. Hij had me beloofd een paar voor me mee te nemen als hij naar Den Haag kwam.'
'Dus jij bent toch naar de kermis geweest!'
'Niet naar die flauwe kermiskul, als je dat soms denkt. De jaarmarkt is meer dan alleen dat, Suzanna. Er komen ook heel wat kooplieden en marskramers*. Hier.' Christiaan haalt een lange dunne buis uit zijn zak.
'Ook gekocht op de jaarmarkt. Van een konstenaar* uit Delft. Een van de beste uit het land.'
'Wat is dat?'
'Een apparaat waarmee je in de verte veel beter kunt zien. Proberen?'
'Fiat, goed dan.' Lang boos blijven kan ik toch niet. Zeker niet op Christiaan.
'Maar dan wel in de tuin. Binnen is veel te weinig licht.'
Samen lopen we door de hal naar de tuindeur. Eenmaal buiten geeft hij mij de buis. Om zijn mond verschijnt een geheimzinnig lachje. 'Daar, achter in de tuin op het dak van het koetshuis', wijst hij. 'Richt hem eens op dat vogeltje daar.'
Makkelijker gezegd dan gedaan. Nergens zie ik door de kijker iets dat ook maar in de verste verte op een vogeltje lijkt. En alles bibbert.
'Je moet hem stiller houden, Suzanna. En één oog dichtknijpen.
Kijk, zo.'
Christiaan neemt de buis van me over en richt hem op de dakgoot. Zijn blote oog knijpt hij dicht. 'Zo te zien aan de rode vlek op zijn kop is het een puttertje.'

Na een paar mislukte pogingen krijg ik inderdaad iets in beeld dat op een vogeltje lijkt. 'Dat ding deugt niet, Christiaan. Volgens mij is hij kapot. Alles is wazig.'

Christiaan lacht hardop.

'Bah, pestkop! Dat doe je met opzet. Je lijkt Lodewijk wel met zijn flauwe grappen. Wat is dit voor een mal ding?'

'Wacht', zegt Christiaan. Hij tuurt door de kijker en schuift hem een stuk uit. 'Zo is het waarschijnlijk beter.'

Tot mijn verbazing zie ik het puttertje nu heel duidelijk zitten. Zelfs de veertjes kan ik onderscheiden. 'Maar... maar dit is onmogelijk, Christiaan. Dit kan niet! Door de buis komt die vogel twee keer zo dichtbij.'

'Toen ik voor het eerst door zo'n verrekijker keek, was ik net zo verrast als jij, Suzanna. Maar het is echt waar wat je ziet.'

'Hoe kan dat?'

Christiaan neemt de kijker van me over, schuift hem weer in elkaar en stopt hem terug in de binnenzak van zijn jas. 'Je weet dat papa niet zo goed kan zien.'

Ik knik.

'Ook hij ziet alles vaag. Daarom heeft hij een bril gekocht met twee heel bijzondere glazen erin: lenzen. Die zorgen ervoor dat hij weer goed scherp kan zien. In deze verrekijker zitten net zulke lenzen. Daarmee kan je ook de maan en de sterren bestuderen.'

'Zit je daarom zo vaak op zolder?'

'Onder andere. Maar het is daar ook veel rustiger. En bovendien heeft niemand last van mijn rommel.'

'Dat zou ik ook wel eens willen zien.'

'Wat, mijn rommel?'

'Nee, malloot, de sterren natuurlijk.'

'Sterren kijken is toch niks voor meisjes?'

'Wat weet jij daarvan als je zelf geen meisje bent?'

'Meisjes moeten vooral leren naaien en borduren. En het huishouden doen.'

'Daar kan een beetje sterren kijken best nog wel bij, hoor.'

Ik heb Christiaan nog nooit zo schaapachtig zien kijken.

'Weet je wat? De komende nachten belooft het helder te worden...'

Met zijn hand bij zijn mond fluistert hij iets in mijn oor.

'Fiat.' Ik kan me er nu al op verheugen.

Jaarmarkt: een apart deel van het kermisterrein, bestemd voor de marskramers.

Konstenaar: instrumentenmaker, bijvoorbeeld van verrekijkers.

Marskramer: verkoper van eigengemaakte spullen.

Sterren kijken

'*Allemachtig,* Christiaan. Wat ben jij van plan?'
Met van alles en nog wat onder de arm sjouwt hij naar boven naar zijn werkkamer. Blokken hout, palen, planken, stukken touw en nog veel meer.
'Philips heeft me op een idee gebracht, Suzanna. Wacht maar tot ik klaar ben.'
'Philips? Heeft Philips jóú op een idee gebracht?'
'Ik zei toch, Suzanna, eerst wachten tot ik klaar ben. En daarvoor niet kijken, niet vragen en vooral niet antwoorden.'
'Wat is dat nou voor een raar antwoord? Hoe kan ik nu antwoorden als je niet eens wat aan mij vraagt?'
Christiaan lacht. 'Vragen is voor jou en alle anderen. Antwoorden geldt alleen voor mij. Excuus, Suzanna, maar je loopt me voor de voeten.'
'Wat is Christiaan allemaal aan het doen, Suzanna?' Philips heeft het lawaai in het trappenhuis ook gehoord.
'Jij hebt hem op een idee gebracht, zegt hij.'
'Wat, ík? Heb ík Christiaan op een idee gebracht?' Nog nooit heb ik Philips zo trots zien kijken. Met een rotvaart rent hij de trap af. 'Hé, Lodewijk, moet je horen. Christiaan...'

Pas een week later mogen we weten waar Christiaan mee bezig is. 'Kom na het eten allemaal mee naar boven', zegt hij. 'Dan mogen jullie hem zien: mijn nieuwe lenzenslijpmachine.'
In ganzenpas lopen we de trap op naar zolder, Christiaan voorop. Trijntje en Marie, onze kokkin, helemaal achteraan. Midden op zolder staat een gevaarte onder een groot doek. Met een triomfantelijk gebaar trekt Christiaan de lap stof weg. 'Tata!'

'Mijn spinnewiel*!' Tante Suerius is de eerste die wat zegt. Of liever gezegd: gilt. 'Wat heb jij met mijn spinnewiel gedaan?'
'Rustig maar, tante. Dit is nog een proefmodel. U krijgt uw spinnewiel zo snel mogelijk terug. Echt waar. Ik heb een wiel besteld, maar omdat dat er nog niet is, heb ik zolang...'
'Je hebt het helemaal gesloopt', schreeuwt tante. 'Waar zijn de klossen en waar is...?'
'Mijn fruitschaal!' roept Marie. 'Die ben ik al een paar dagen kwijt.' Zonder op antwoord te wachten, loopt ze naar de slijpmachine en haalt de schaal van de draaischijf.

'Hoho, Marie. Wacht even. Die fruitschaal kun je toch nog wel een paar dagen langer missen? Ik heb nieuwe besteld. Hè toe, Marie, doe eens lief.'
Met een mokkig gebaar legt Marie de schaal terug op de slijpmachine.
'Je bent een schat', zegt Christiaan en hij geeft haar een kushandje.
'Denk maar niet, Christiaan,' snerpt tante Suerius, 'dat je er bij mij zo gemakkelijk van afkomt. Als ik morgen mijn spinnewiel niet terug heb...'
Samen met Trijntje en Marie loopt ze naar de zolderdeur. 'Helemaal compleet, en werkend, en...'
'Jaja, tante. Ik heb de boodschap begrepen. Maar blijft u alstublieft nog even voor mijn demonstratie. Ik heb hier bijna een hele week aan gewerkt.'
Maar tante is al weg.
'Ach', zegt Constantijn. 'Ze trekt wel weer bij. En anders doe ik bij papa een goed woordje voor je, Christiaan. Dat werkt altijd. Maar kom op met die demonstratie van je. Ik ben één en al oor. En oog', voegt hij eraan toe.
'Zeg eens, hoe ben je op het idee gekomen?'
'Philips', zegt Christiaan. 'Weet je nog, dat jij aan tafel zei dat ik mijn voeten moest gebruiken in plaats van mijn handen?'
Philips knikt.
'Toen kreeg ik een idee met een spinnewiel. Het principe is doodsimpel.'
Als we met z'n vijven om de slijpmachine van Christiaan staan, geeft hij een uitgebreide demonstratie. Eerst drijft hij met zijn voet het draaiwiel van het spinnewiel aan. 'Kijk, nu kan ik de stamper met twee handen vasthouden. Dat is veel stabieler. Bovendien kan ik met mijn voet veel meer kracht zetten dan met mijn hand. En gaat het slijpen dus ook sneller.'
'Je bent een genie', zegt Constantijn. 'En jij ook, Philips. Jij hebt Christiaan op een geweldig idee gebracht.' Philips glimt helemaal.
'Wel, Philips', zegt Lodewijk, 'zo zie je maar. Wonderen zijn de wereld nog niet uit. Pas maar op dat jij niet ook geniaal wordt. Met twee van die bollebozen wordt het wel erg saai in huis.'
Dan buigt Christiaan zijn hoofd naar mij toe. 'Vannacht', fluistert hij in mijn oor. 'Oké?'

Donderdagavond 30 april 1649.

Lieve Sterre,
Ik kan niet slapen, daar ben ik te opgewonden voor. Dus schrijf ik maar wat aan jou. Vandaag heeft Christiaan een nieuwe slijpmachine voor zijn lenzen gedemonstreerd. Tante Zeur was woedend, omdat Christiaan haar spinnewiel heeft geleend.
Het duurt wel lang voordat Christiaan komt. Hij wil natuurlijk zeker weten dat iedereen in huis slaapt. Wacht, ik hoor gestommel op de trap. Volgende keer verder.

Ik gooi mijn slaapmuts op bed, schiet in mijn sloffen en loop naar de deur. Ondertussen wurm ik me in mijn kamerjas. Op de gang staat Christiaan met een kandelaar in zijn hand. En een vinger voor zijn mond. Zwijgend gaat hij me voor, de trap op naar boven. Pas als hij de deur van zijn zolderkamer achter zich dicht heeft getrokken, haalt hij zijn vinger weg. Allemachtig, wat een rotzooi is het hier. Tafels met van alles en nog wat erop: boeken, gereedschap, allerlei bakjes en kistjes, grote en kleine. Onder één tafel ligt de grond bezaaid met zaagsel, houtkrullen en allerlei andere troep.
'Gezellig is het hier, vind je niet? Let maar niet op de rommel. Het is minder erg dan je denkt.' Dan pakt hij mijn hand en loopt naar een zolderraam.
'Kijk je graag naar de sterrenhemel, Suzanna?'
Ik knik.
'Zie je die groep sterren daar?' Christiaan wijst door het raam naar boven.
'Als je goed kijkt, zie je dat ze samen een soort steelpannetje vormen.'
Het duurt even voor Sterre ze in de gaten heeft. 'Maar dan wel met een kromme steel.'
'Die sterren blijven altijd in dezelfde vorm bij elkaar. Altijd. En je kunt ze het hele jaar zien. Als het helder is natuurlijk, zoals nu. Samen heten die zeven sterren de Grote Beer. En weet je wat grappig is? De twee heldere sterren aan de rand van het pannetje wijzen weer naar een ander sterrenbeeld. Daarom worden ze ook wel de Wijzers genoemd.'

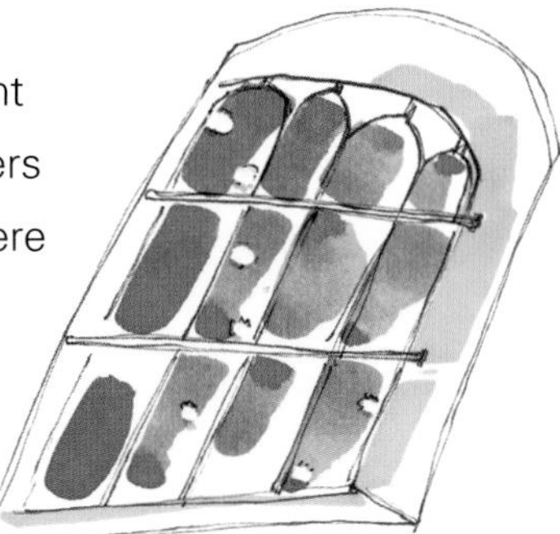

Christiaan pakt een stuk papier en begint te tekenen. 'Als ik een lijn door de Wijzers trek, kom ik vanzelf bij een andere heldere ster uit: de Poolster. En die is weer het begin van de steel van een kleiner pannetje. De...'
'De Kleine Beer?'
'Heel goed, Suzanna. De Kleine Beer. Kijk, daar.'
In de lucht trekt Christiaan een denkbeeldige streep door de Wijzers van de Grote Beer, en verder, tot hij bij de Poolster komt. De Kleine Beer tekent hij ook.
'En die sterren blijven ook altijd bij elkaar?'
'Ja, alleen geven sommige sterren zo zwak licht dat je ze alleen maar kunt zien als het buiten echt donker is.'
'Trijntje heeft eens verteld dat sommige mensen aan de hemel verschijnen wanneer ze doodgaan. Als een ster.'
Christiaan begint te glimlachen. 'Als Trijntje het zegt, zal het wel zo zijn, hè?'
'Wie weet staat mama's ster daar ook wel ergens.'
Christiaan legt een arm over mijn schouder. 'Vind je het een fijn idee
dat mama misschien ergens aan de hemel naar jou staat te kijken?'
'Papa denkt dat ook. Hij noemde mama altijd zijn Sterre.'
'Zo noemde hij haar ook al voordat ze was gestorven. Ik denk dat papa heel veel van mama heeft gehouden en dat hij haar daarom Sterre heeft genoemd. Net als jij. Jij bent zijn kleine Sterre, toch?'
'Als ik doodga, wil ik ook een ster worden. Vlak bij mama. Lekker gezellig samen schijnen, met z'n tweeën naast elkaar.' Het kan me niks schelen wat anderen ervan vinden. Ik weet zeker dat mama's ster ergens daarboven aan de hemel straalt. Misschien maar een kleine, omdat mama niet zo oud is geworden. Met de verrekijker moet ik haar kunnen vinden.
'Ik wil je nog één sterrenbeeld laten zien. Kijk...' Christiaan wijst naar een

plek naast de Kleine Beer. 'Aan de ene kant van de Kleine Beer staat de Grote Beer. Die kun je nu zelf ook vinden, hoop ik. Aan de andere kant staat een sterrenbeeld dat net als de Grote Beer het hele jaar te zien is: Cassiopeia, een groep sterren in de vorm van een W.'
'Cassiopeia, hoe bedenken ze het.'
'Heel lang geleden,' vertelt Christiaan, 'leefde er in Ethiopië...'
'Ethiopië?'
'Een land in het noorden van Afrika... Leefde er in Ethiopië een koningin die Cassiopeia heette. Volgens de Grieken was zij een echte ijdeltuit. Ze vond zichzelf en haar dochter Andromeda zo mooi, dat ze niet wilde geloven dat er iemand bestond die nog knapper was dan zij. Zelfs de waternimfen niet, die bekendstonden om hun goddelijke schoonheid.'
'Wat zijn dat, nimfen?'
'Een soort godinnen: jong en heel erg mooi. De nimfen klaagden bij Poseidon, de god van de zee. Deze werd zo boos op Cassiopeia dat hij een zeemonster afstuurde op de stad waar ze woonde. En ook een stormvloed waardoor de stad elke dag opnieuw overstroomde. De mensen smeekten om hulp bij de andere goden, maar geen van allen wilde hen helpen.
Ze zeiden dat Andromeda, de dochter van Cassiopeia, aan het zeemonster moest worden geofferd. Dan pas zou de stormvloed ophouden. Cassiopeia

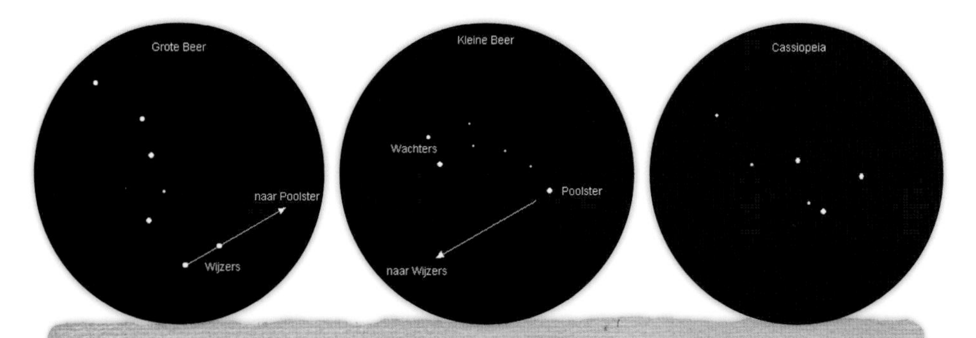

Sterrenbeelden

Drie sterrenbeelden die het hele jaar door aan de hemel te zien zijn, zijn de Grote Beer, de Kleine Beer en Cassiopeia. Soms is het even zoeken, want ze staan niet altijd precies op dezelfde plaats.

besloot om Andromeda aan de rotsen vast te ketenen zodat ze door het zeemonster verslonden kon worden. Net op tijd zag de knappe prins Perseus wat er gebeurde. Hij was verliefd op Andromeda en beloofde moeder Cassiopeia dat hij het zeemonster zou doden als hij met Andromeda mocht trouwen. Zo gezegd, zo gedaan. Perseus versloeg het monster en trouwde met Andromeda.'
Het zal je moeder maar wezen. Je dochter opvoeren aan een zeemonster. En zo'n wrede koningin mag zomaar een ster worden. Wat zeg ik? Een heel sterrenbeeld! Dan mag mama toch wel minstens één ster zijn?
'Ik denk dat Cassiopeia heel veel spijt heeft gehad van haar ijdelheid', zegt Christiaan alsof hij mijn gedachten kan lezen. 'Daarom kreeg ze van Zeus na haar dood toch een plekje aan de hemel.'
'Zeus?'
'Allemachtig, Suzanna, wat ben jij toch een ongelofelijke wijsneus. Mag ik nou eerst even mijn verhaal afmaken? Waar was ik? Oh, ja. Zeus. Bij de oude Grieken was hij de machtigste van alle goden.'
Als het bij de Grieken kan, waarom dan niet bij ons? 'Het klopt dus toch wat Trijntje heeft gezegd.'
Christiaan zucht. 'Trijntje heeft een beetje gelijk, Suzanna. Ook nu komen er nog steeds sterren bij. Maar of dat ook werkelijk overleden mensen zijn zoals de Grieken dachten...'
Naast de werktafel staat een driepotige standaard. Met daarop een lange buis, stevig met riemen vastgebonden. Voorzichtig trekt Christiaan hem naar het zolderraam. 'Kijk hier maar eens door naar de maan. Ze is zo groot dat je zou zweren dat je haar met je vinger kon aanraken. Als je goed kijkt, kun je zelfs zien dat de maan net als de aarde bergen en kraters heeft.'
Ik voel mijn hart kloppen van opwinding. Wat is er met een verrekijker allemaal nog meer te zien aan de hemel? Stel toch, dat ik plotseling de ster van mama tegenkom.

Spinnewiel: houten draaitoestel om van vlas en wol draden te spinnen.

Moord

Woensdag 13 mei 1649.

Lieve Sterre,
De jongens zijn weer vertrokken. Philips naar zijn kosthuis* in Brabant en Lodewijk en Christiaan naar de universiteit in Breda. Alleen Constantijn is er nog, die hoeft niet meer naar school. Vooral Christiaan mis ik.
Niet dat ik de anderen niet aardig vind, maar Christiaan is en blijft mijn lievelingsbroer.
Met de grote vakantie gaan Lodewijk en Christiaan van school af. Papa heeft ruzie gemaakt, omdat hij vindt dat de school beter op Lodewijk had moeten letten. Met dat duel, bedoel ik.

'Hé, Suzanna... droom, droom, droom...'

'Leerlingen zouden geen degens mogen dragen op school, daar komen vroeg of laat ongelukken van', heb ik papa tegen tante Zeur horen zeggen.

'Suzanna!'
'Eh, wat?'
Constantijn zwaait met zijn hand voor mijn ogen. 'Oehoe, wakker worden, zusje. We zijn met Frans bezig, weet je nog wel? Niet met dat dagboek van jou.'
'Je hoeft niet zo te schreeuwen. Ik hoor je heus wel, hoor.' Snel leg ik mijn dagboek opzij.
'Waar zit jij met je gedachten?'
'Excuus, Constantijn. Als het nu muziekles of zangles was, oké, maar Frans. En dan nog wel over vlinders. Zeker om mij lekker te maken.' Ik kijk naar

buiten. 'Het is veel te mooi weer om woordjes uit mijn hoofd te leren.'
'Niets mee te maken. Ik heb papa beloofd je met Frans te helpen tot ik wegga.'
Over een week vertrekt Constantijn voor zaken naar Frankrijk. Hij wel. Kan hij uit het raam van de koets al die vlinders in het echt zien. Hier in de stad komen ze niet. Veel te muf en vies in de zomer.
'Zeg mij na: *les papillons d'été...*' Als het moet, kan Constantijn ontzettend streng zijn.
'*Les papillons d'été.*'
'En in het Nederlands?'
'Weet ik niet meer.'
'Zomervlinders. Volgende: *le citron...*'
Die weet ik gelukkig wel. 'De citroenvlinder.'
'Perfect. *Un papillon blanc de chou...*'
'Eh...'
De deur van de kamer vliegt open en Marie stormt naar binnen. 'Meneer Huygens', hijgt ze opgewonden. 'Meneer Huygens!'
'Wat heb jij, Marie? Brandt het middagmaal aan?'
'Meneer Huygens', roept ze voor de derde keer. 'Sijmen zegt dat u onmiddellijk naar de herberg De Zwaan moet komen. En meneer Huygens senior ook. Er zijn daar gisteravond twee mensen vermoord.'
'Vermoord? Wie?'
Op dat moment komt Sijmen, onze knecht, binnenvallen. 'Ze zeggen dat één van hen Isaäc Doreslaar is, meneer. De herbergier en zijn vrouw zijn gearresteerd. Die twee zouden de moordenaars stiekem binnen hebben gelaten. Voor geld.' En weg is hij alweer. Waarschijnlijk op weg naar papa's werkkamer.
'Doreslaar? De nieuwe Engelse gezant*? Oh, hemel...'

'Isaäc Doreslaar?' Marie begint zenuwachtig aan haar keukenschort te friemelen. 'Ik heb horen fluisteren, meneer, dat hij de beul* was die in januari in opdracht van Lord Cromwell de Engelse koning heeft onthoofd. Wat doet die moordenaar hier in Den Haag?'

'Je moet voorzichtig zijn met wat je zegt, Marie. Het is maar een gerucht. Een beul is nooit, maar dan ook nooit, herkenbaar. Hij heeft niet voor niets een zwarte kap op.'
'Met uw welnemen, meneer Huygens, maar ik ben ervan overtuigd dat het niet alleen maar roddel en achterklap is. Doreslaar en die Cromwell zijn dikke maatjes. En Cromwell deugt voor geen meter. Mijn zuster is twee jaar geleden met een Engelsman getrouwd. De verhalen die zij over Cromwell vertelt, liegen er niet om, meneer. Iedereen die het niet met hem eens is, wordt in het cachot gesmeten. Of nog erger, zegt mijn zuster.'
Constantijn zucht. 'Als het waar is, Marie, dan is dat een regelrechte ramp voor Holland. De Engelse gezant: hier in Den Haag vermoord!'
'Uw koets staat voor, meneer.' In de deuropening verschijnt Lieven.
'Uw vader is al ingestapt.'
'Mooi zo. Rijd ons onmiddellijk naar De Zwaan.'

Onthoofd

Op 30 januari 1649 gebeurt er in Engeland iets vreselijks: koning Karel I wordt onthoofd.
De koning, die heel veel oorlog voert, is niet erg populair in zijn land. Want hij vecht niet alleen tegen de Schotten, maar ook tegen eigen onderdanen die het niet met hem eens zijn.
Hij wordt gevangen genomen en beschuldigd van verraad aan zijn volk. De militair Oliver Cromwell neemt de macht over. Engeland heeft dan even geen koning meer.
Oliver Cromwell is bevriend met Isaäc Doreslaar. En omdat een dochter van Karel I, Mary (Maria) Stuart, in 1641 is getrouwd met stadhouder prins Willem II, verdenkt Oliver Cromwell de prins ervan iets met de moord op Isaäc Doreslaar te maken te hebben.

Maandag 8 juni 1649.

Lieve Sterre
Vorig jaar om deze tijd waren we allang een weekend naar Hofwijck geweest. Door al dat gedoe met die moord op de Engelse gezant moet papa in Den Haag blijven. Het is al bijna een maand geleden en nog steeds hebben ze de daders niet te pakken.

Papa heeft gezegd dat het vermoedelijk Engelse monarchisten zijn geweest die Isaäc Doreslaar hebben vermoord. Als dat werkelijk zo is, zijn ze natuurlijk allang over het Kanaal terug naar Engeland gevaren.
'Monarchisten, wat zijn dat, papa?'
'Monarchisten zijn mensen die graag willen dat het land geregeerd wordt door een koning. De Engelse monarchisten hopen dat de zoon van de vermoorde koning ooit zelf koning wordt van Engeland. In plaats van Cromwell. Die man is zelfs geen familie van de koning. Eigenlijk ben ik ook monarchist omdat ik het een goede zaak vind dat de prinsen van Oranje het voor het zeggen hebben in de Republiek.'
'Maar Willem II is toch stadhouder, geen koning?'
'Ja, maar het lijkt er wel een beetje op. Zijn vader, prins Frederik Hendrik, was ook stadhouder en als prins Willem II een zoon krijgt, wordt die na hem ook weer stadhouder.'
'Dus net als in het Franse koningshuis, maar dan zonder dat ze koning zijn.'
'Precies.'

La maison... die weet ik: het huis. *La cuisine*... de kokkin... Nee, de keuken.
Voordat Constantijn naar Frankrijk is vertrokken, heeft hij me tien vellen met Franse woordjes gegeven. 'En denk erom: als ik terugkom, ken je ze allemaal uit je hoofd. Ik zal ze persoonlijk overhoren.'

Opeens vliegt de deur open en komt papa opgewonden de kamer binnen. 'Er is bericht uit Engeland. Van Lord Cromwell persoonlijk! Voorlopig gelooft hij dat de Hollanders niets met de moord op Isaäc Doreslaar te maken hebben. Dat betekent even rust op mijn werk. Kunnen we binnenkort eindelijk eens een weekend naar Hofwijck gaan.'
'En de herbergier en zijn vrouw?' vraagt Constantijn. 'Wat hebben ze daarmee gedaan? U hebt altijd getwijfeld aan hun schuld.'
'Ter dood veroordeeld.' Papa en Constantijn kijken elkaar aan. 'Ik heb het geprobeerd, Constantijn. Echt waar. Het spijt me, het is me niet gelukt.'

Beul: iemand die namens de rechter een veroordeelde man of vrouw lijfelijk mag straffen. Zoals bijvoorbeeld stokslagen of de kop afhakken. Vaak maakt de beul zichzelf onherkenbaar door een zwarte kap over zijn hoofd te trekken.
Gezant: iemand die door een staatshoofd met een opdracht naar het staatshoofd van een ander land wordt gestuurd.
Kosthuis: huis, waar iemand 'in de kost' is. Waar hij eet, slaapt en tijdelijk woont, maar dat niet het huis is waar zijn ouders wonen.

Hofwijck

Eindelijk. Eindelijk een paar dagen weg uit die benauwde lucht van Den Haag. Opnieuw kan ik niet slapen. Net als die avond dat Christiaan mij mee naar zolder heeft genomen om de sterren te bekijken. Hofwijck. Als ik al aan ons buitenhuis in Voorburg denk, raak ik helemaal opgewonden. Het is daar prachtig en het ruikt er altijd zo lekker in de zomer. De vijver om het huis met de zwanen, de prachtige vlinders, de zangvogels. Hoeveel jongen zouden de zwanen dit jaar hebben gekregen? Vorig jaar heeft maar één zwaantje het overleefd.
En niet te vergeten de boomgaard met de appel- en perenbomen. 'Nergens kom ik méér tot rust dan op mijn eigen Hofwijck', zegt papa altijd. 'Een ideale plek om te dichten.' En muziek maken natuurlijk, met zijn vriendin Maria Casembroot. Papa op zijn luit* en Maria achter het klavecimbel. Hij heeft zelfs een muziekstuk voor haar gecomponeerd. Dat hebben ze vorig jaar samen eindeloos gespeeld op het nieuwe klavecimbel dat papa bij een beroemde bouwer in Antwerpen heeft gekocht. Een met twee klavieren nog wel.

Klavecimbel

Voordat de piano wordt uitgevonden (eind van de zeventiende eeuw) speelt men op een klavecimbel. Bij dit instrument worden de snaren niet aangeslagen door hamertjes, maar getokkeld met 'pennen' langs de snaren. Die pennen worden gemaakt van ganzenveren. De beroemdste klavecimbelbouwers van de zeventiende eeuw wonen in Antwerpen: vader Hans Ruckers en zijn zonen Johannes en Andreas. Ook de kleinzonen Andreas Ruckers en Johannes Couchet zijn in heel Europa bekend.

Ik pak het briefje dat Christiaan op mijn bed heeft achtergelaten, voordat hij weer naar Breda is vertrokken.

Lief zusje,
Het duurt nog wel even voordat we weer samen naar de sterren kunnen kijken. Tot de zomervakantie zul je dus geduld moeten hebben.
Je broer 'Titaan'.
PS: geef mijn naamgenootje af en toe maar een dikke knuffel van mij.

Ik wacht tot ik er zeker van ben dat iedereen slaapt. Het is pikkedonker in huis. Maar goed dat ik met Christiaan al een keer boven ben geweest. Eenmaal op zolder geeft de maan net genoeg licht om iets te kunnen zien. De verrekijker staat er nog zoals we hem de vorige keer hebben achtergelaten. Gelukkig staat de maan aan de goede kant. In mijn eentje had ik de standaard met verrekijker en al niet naar een ander raam gekregen. Zeker niet zonder Trijntje en Marie, die op hun zolderkamer hiernaast slapen, wakker te maken. Ik tuur door de verrekijker naar de maan.
Christiaan heeft me verteld dat de mensen vroeger dachten dat de maan groeide en weer kromp. Maar nu weten ze dat het de zon is die op de maan schijnt. Soms op een stukje van de maan en dan weer op de hele maan. Daarom lijkt hij de ene keer op een dikke teennagel en de andere keer op een ronde bal. Toch snap ik dat niet. Het is toch nacht? Hoe kan de zon dan op de maan schijnen? Christiaan zal dat vast wel weten. Hij weet zo veel, die knappe broer van mij.
Ik draai de kijker de andere kant op. Helemaal boven aan de hemel staat de Grote Beer. Ik kan hem met de verrekijker nog net zien. Het pannetje met de twee Wijzers, de drie sterren van de steel. Grappig eigenlijk dat ze altijd op dezelfde manier bij elkaar staan. Wie weet, kijkt Christiaan vannacht ook wel naar de sterren in Breda. Dan ziet hij nu hetzelfde als ik.

Kijk, Christiaan, zie je die kleinere ster vlak naast de middelste ster van de steel? Hoort die ook bij de Grote Beer of is dat een verdwaalde ster? Daar heb je mij de vorige keer niets over verteld.
Ik zal hem morgen direct schrijven.

Breda, vrijdag 12 juni 1649.

Lief, nieuwsgierig en eigenwijs zusje,
Vandaag heb ik jouw brief ontvangen. Eerlijk gezegd ben ik wel geschrokken. Ik heb je toch geen toestemming gegeven zonder mij op mijn kamer te komen? Weet je wel hoe kostbaar die verrekijker is? Als er iets mee gebeurt, ben ik totaal geruïneerd. Het is niet zo, dat ik je nu wil verbieden hem af en toe te gebruiken, maar wees er alsjeblieft heel, heel erg voorzichtig mee. Beloof je dat? Ik hoop niet dat ik er ooit spijt van krijg dat ik je mee naar boven heb genomen.

Wat de Grote Beer betreft: de middelste ster van de steel heet Mizar. De kleinere ster die je daarnaast hebt gezien, is Alcar. Sterrenkundigen noemen hem ook wel het ruitertje, omdat hij als het ware met Mizar meerijdt. Alcar en Mizar horen bij elkaar.
Je broer 'Titaan'.
PS: Maak mijn naamgenootje 's nachts vooral niet wakker. Als hij aanslaat terwijl jij stiekem naar de zolder sluipt...

Den Haag, zaterdag 20 juni 1649.

Lieve, lieve broer,
Excuus, excuus, excuus! Je hebt helemaal gelijk. Ik had je eerst toestemming moeten vragen. Misschien ben je er iets geruster op als ik je beloof

dat ik er alleen maar door kijk. Ik kom verder nergens aan.
Titaan heeft nog geen enkele keer geblaft, gelukkig. Ook vannacht niet.
Ik heb nog eens goed naar de Grote Beer gekeken. Nu ik weet dat het ruitertje bestaat, kan ik hem zelfs met het blote oog zien. Maar die ster bedoel ik niet. Volgens mij staat vlak naast Mizar, zoals jij de middelste ster noemt, nog iets anders. Het is moeilijk te zien, maar het lijkt erop of Mizar uit twee sterren bestaat.
Je 'lastige' zus Suzanna.
PS: Je bent een schat.

Breda, vrijdag 26 juni 1649.

Lief lastig zusje,
Bij mijn weten heeft nog nooit iemand iets dergelijks over Mizar geschreven. Je hebt me wel nieuwsgierig gemaakt, moet ik zeggen. Hier op de universiteit hebben we ook een verrekijker, maar die is lang niet zo goed van kwaliteit als die van mij. Over anderhalve week is het grote vakantie. Dan komen Lodewijk en ik definitief terug naar Den Haag. En natuurlijk naar Hofwijck. Tot die tijd zullen we nog even geduld moeten hebben.
Je broer 'Titaan'.
PS: Houdt die kleine naamgenoot van mij zich een beetje koest? En zijn jullie al naar Hofwijck geweest? Hebben de zwanen al jongen?

Morgenochtend is het zover. Het personeel gaat met de trekschuit*. Zonder Sijmen. Die komt later, omdat hij eerst Lieven moet helpen met de bagage. Niet alles kan met de trekschuit mee.
Papa weigert om Titaan met de koets mee te nemen. 'Zolang hij niet helemaal zindelijk is, wil ik hem niet in mijn rijtuig hebben.
Hij kan met Trijntje en Marie mee met de trekschuit.'
'Maar dat is zielig. Hij blijft altijd uren janken als ik weg ben.'
'Overdrijven is ook een kunst, Suzanna.' Lodewijk moet zich er ook zo nodig weer mee bemoeien. 'Weet je wat er met vervelende klepzeikertjes zoals jij gebeurt? Lijs Huijck komt je halen...'
'Lodewijk!' Papa's stem klinkt opeens heel dreigend. 'Laat dat. Daar is Suzanna onderhand veel te oud voor. En ook veel te slim. Dacht je werkelijk dat ze nog in die onzin geloofde?'
Goed zo. Is al dat gezeur van tante Suerius toch nog ergens goed voor geweest.
Als ik mag kiezen, vaar ik duizend keer liever over de Vliet naar Hofwijck.
'Mag ik dan ook met de trekschuit mee, papa? Het is toch al zo vol in de koets. Christiaan, Lodewijk, Philips, tante Suerius en uzelf.'

Ik zie papa aarzelen. 'Hebt u allemaal wat meer ruimte.'
'Als je maar niet denkt, neef, dat ik met Suzanna op zo'n wiebelding meevaar. Mij veel te wankel.' Tante Suerius zet weer eens haar gebruikelijke klaagstem op.
'Ik kan ook best op haar letten, meneer.' Trijntje neemt het voor me op. De schat.
'Fiat', zegt papa uiteindelijk en daarmee is de kous af.

Donderdag 9 juli 1649.

Lieve Sterre,
Drie vliegen in één klap. Titaan mag bij mij blijven als ik morgen met de trekschuit naar Hofwijck ga. Tante Zeur wil absoluut niet met de trekschuit, dus ben ik even van dat eeuwige geneuzel van haar verlost. En ik hoef niet met de koets. Meestal is mijn stuitje al na vijf minuten helemaal beurs van die hobbelige straatkeien. En als je denkt dat je buiten Den Haag van dat gestuiter verlost bent, komt het ergste deel van de reis: het jaagpad naar Voorburg langs de Vliet. Eén en al bulten en kuilen. Een betere vering zou een heel stuk schelen. Misschien dat Christiaan daar ook eens iets op kan verzinnen. Ik zal het hem vragen. Hij komt met Lodewijk uit Breda rechtstreeks naar Hofwijck.

Luit: een gitaarachtig instrument.
Trekschuit: een platte boot die getrokken wordt door een paard. Het paard loopt op een pad langs de kant: het jaagpad. De trekschuit is een typisch Nederlands vervoermiddel.

Geradbraakt

'Hé, jij daar!' Papa wenkt de jongen die bij de muurpoort een beetje verlegen aan zijn pet frutselt. 'Jij kunt vast wel een paar extra stuivers gebruiken.'

Het is Dirk. Sinds dat gedoe op de kermis heb ik hem niet meer gezien.

'Hier, jongeman', wijst papa. 'Deze twee koffers moeten mee naar het Spui.'

Even later zet de stoet zich in beweging, op weg naar de trekschuit. Trijntje en Marie voorop, daarna Dirk met de koffers en daarachter Sijmen met een handkar volgeladen met spullen. En tot slot een vrolijk dribbelende Titaan kriskras tussen ons allemaal door.

'Nog bedankt, juffrouw.' Dirk zijn schouders hangen schuin naar beneden van het gewicht van de koffers. 'Dat u het voor me hebt opgenomen op de kermis.'

Wat moet ik daarop zeggen? Dat ik het heel gewoon vind? Ha, gewoon.

Lodewijk zou dat moeten horen. Die vindt hele andere dingen gewoon. Zoals mensen in de maling nemen.
'Ik vind dat heel gewoon. Trouwens, je mag me best Suzanna noemen, hoor. En gewoon 'je' en 'jij'.'
'Als u... eh, jij er niet was geweest met die parasol...'
'Jij had toch geen gestolen beurs of zo bij je? Dan kan niemand je beschuldigen van diefstal.'
'Dat had je gedacht. Weet je wat ze dan zeggen, de mensen? Die twee spelen onder één hoedje. De een leidt iedereen af, zodat de ander stiekem toe kan slaan. Nee, als jij die zakkenroller geen pootje had gelicht, zat ik nu in het cachot.'
Ik denk terug aan wat Lodewijk heeft gezegd. Eerlijk gezegd kan ik Dirk geen ongelijk geven.
'Zo gaat dat nou eenmaal met mensen zoals wij. Ik ben tenslotte maar de zoon van een arme schoorsteenveger. Vies en onbetrouwbaar.'
Zelfs Dirks hoofd begint een beetje naar beneden te buigen. De koffers zijn toch niet te zwaar voor hem?
'Grappig hondje.' Dirk knikt naar Titaan. 'Hoe heet ie?'
'Titaan. Net als mijn broer, Christiaan.'
'De uitvinder.'
'Ja, hoe weet jij dat?'
'Mijn vader heeft het vaak over hem. Jouw broer weet alles van lenzen en kijkers, hè? Mijn vader wil ook lenzen leren slijpen.'
'Maar hij is toch schoorsteenveger?'
'Ja, maar dat verdient in de winter niets. Daarom wil hij er wat naast gaan doen. Een tijdje geleden heeft hij zijn eerste slijpschaal gekocht. Maar we moeten er meer hebben en ze zijn heel duur. En ook een verrekijker om te kijken hoe de lenzen het best geslepen kunnen worden. Was mijn vader maar zo rijk als die van jou. Dan kocht hij meteen zo'n ding. Dat weet ik zeker.'
'Misschien kan hij geld van mijn vader lenen. Papa doet dat wel vaker.'
'Over een paar dagen,' zegt Dirk, 'komen mijn vader en ik bij jullie op Hofwijck de schoorsteen ve... Oh, we zijn er al, geloof ik.'

Door al dat geklets heb ik niet in de gaten dat we al bij de trekschuit zijn. Samen met de schipper sjouwen Dirk en Sijmen onze bagage in het ruim. 'Tot over een paar dagen', roept Dirk als ze klaar zijn. Met Sijmen loopt hij terug naar huis. Heel wat meer rechtop.

Achter in de schuit zit een hevig verliefd stelletje. Ze merken niet eens dat wij binnenkomen, zo zitten ze te flikflooien. Voorin zit een man, zo mager en bleek, dat hij elk moment dood lijkt te vallen. Op een witte kanten kraag na is hij helemaal in het zwart gekleed.
Titaan begint spontaan tegen de man te grommen. 'Titaan, af!' Maar goed dat ik hem zo kort aan de riem heb, anders was hij hem ter plekke aangevlogen.
De twee knuffelkonijntjes kijken verstoord op. Als ze Titaan zien, beginnen ze gelijk te gniffelen. Het schijnt nogal grappig te zijn. Nou, dat vind ik niet

dus. Ik schaam me kapot. 'Af, Titaan. Af!' Het helpt niets.
Trijntje klakt een paar keer met haar tong. 'Kom eens hier, klein mormel dat je bent. Die meneer daar heeft het niet zo op honden, ben ik bang.'
'Inderdaad', antwoordt hij. 'Ze moesten die monsters op de schuit verbieden.'
Ik kijk naar buiten. Het paard dat onze schuit over het water van de Vliet trekt, sjokt knikkebollend verder over het jaagpad. Veel zin heeft hij er niet in, zo te zien. Net als de molens langs het water. Hun wieken bewegen bijna even sloom als de benen van het paard. Nieuwsgierig komt Titaan naast me op de bank zitten.
'Kijk', wijst Marie opeens naar buiten. 'Daar op het galgenveld*.'
Nog nooit van mijn leven heb ik een lijk aan een galg zien bungelen. Een misselijk makend gevoel kruipt uit mijn buik omhoog.
'Zie je die twee daar?'
'Marie, laat dat', zegt Trijntje. 'Daar is Suzanna nog veel te jong voor.'
'De jongedame kan niet vroeg genoeg weten hoe onrechtvaardig de wereld in elkaar zit, Trijntje.'
Op het veld staan naast de galg ook twee hoge palen. Beide met een wagenwiel erop. Op elk wiel zit een scheef in elkaar gezakt figuur. Doodstil, onbeweeglijk. Aan hun kleren te zien, zijn het een man en een vrouw geweest.
'De herbergier van De Zwaan en zijn vrouw', gaat Marie verder. 'Vastgebonden op een wagenwiel en geradbraakt*. De botten van hun armen en benen hebben ze met een ijzeren staaf gebroken. Afschuwelijk. Wedden dat ze er over een jaar nog zitten? Weggerot en opgevreten door kraaien en ander ongedierte. Als waarschuwing. Waarvoor? Neem van mij aan,' Marie schudt met haar wijsvinger naar Trijntje, 'dat die twee met de moord op Isaäc Doreslaar niets te maken hebben gehad. Een schijnvertoning, dat doodvonnis. Dat was het! Ze hadden een zondebok nodig om Lord Cromwell te paaien. De echte moordenaars waren al lang en breed weer naar Engeland gevlucht.'
De magere man blijft zwijgend voor zich uit kijken.

Nog nooit heb ik Marie zo fel gezien. 'Die koning van Engeland, hè? Die hebben ze zijn kop niet afgehakt, omdat hij het als koning zo slecht deed. Oh nee. Omdat hij katholiek was, Suzanna. Enkel en alleen omdat hij katholiek was. Hij had de foute godsdienst, zal ik maar zeggen. Net als ik.' Met haar vinger snijdt ze langs haar keel. 'Godsdienst maakt meer kapot dan je lief is. Neem dat van mij aan.'
'Pas op uw woorden, mevrouwtje!' De magere man loopt rood aan.
'Weet u eigenlijk wel wie er naast u zit? Ik kan u laten oppakken wegens godslastering!'
Marie grijnst. 'Ha, God is heel wat liever tegen de mensen dan de mensen tegen elkaar.'
'Voetius. Gisbertus Voetius is mijn naam! En het leven is niet om te lachen. Zij die te veel lachen op aarde zullen te veel huilen in het hiernamaals.'
'Ach man, maak dat de kat wijs. Humor is het beste geneesmiddel tegen zwartgalligheid. Blijf lachen, zeg ik altijd. Daar blijft een mens gezond bij.'
Meneer Voetius heft een bestraffende vinger omhoog. 'Christus lachte ook niet, anders had daarover zeker iets in de Bijbel gestaan!'
Zonder nog een woord te zeggen, staat hij op en stapt met een strak gezicht naar buiten. Naast me hoor ik de tortelduifjes stiekem gniffelen. Marie knikt ze vriendelijk toe.

Voetius

Gisbertus Voetius (1589-1676) is een streng gereformeerde dominee die les geeft aan de Universiteit van Utrecht: godgeleerdheid. Hij gelooft nog heilig in het idee dat de door God geschapen aarde het middelpunt van het heelal is. De zon draait dus om de aarde en niet andersom. Constantijn senior en Christiaan Huygens, zelf ook gelovige mensen, zijn het daar absoluut mee oneens. Wetenschappelijk pure nonsens, beweert Christiaan.

'Sommige mensen zijn wel erg snel op hun teentjes getrapt, vinden jullie niet?'

De knuffelkonijntjes zijn eindelijk gestopt met dat gefrunnik aan elkaar. Een hele opluchting, wat mij betreft. Dat kleffe gelebber begint aardig op mijn zenuwen te werken.
'Weet je,' zegt het meisje tegen haar vriend, 'dat er bij Voorburg weer zo'n kanjer van een landhuis wordt gebouwd? Tegenover Hofwijck, langs het jaagpad.' Vanuit haar ooghoeken loert ze schuin naar mij. 'Het is een schande. Alsof die rijke lui niets anders te doen hebben dan een beetje kletsen en muziek maken.'
Ik weet zeker dat ze het eigenlijk tegen mij heeft. Dat komt vast door mijn kleren. Die zijn veel te chic voor een reis met de trekschuit. Daar kan ik toch niets aan doen?
'En met mooi weer een beetje door de tuin wandelen en gedichtjes opzeggen.'
'Of kegelen op de bolbaan', vult de jongen haar aan. 'Als je het mij vraagt zijn al die buitenplaatsen puur verspilling van geld en natuur.'
Ik doe maar net of ik niets gehoord heb. De trekschuit mindert vaart. In de deuropening verschijnt de schipper. 'We zijn er.'

Galgenveld: plek vlak buiten de stad waar galgen en wagenwielen op palen staan. Wanneer mensen opgehangen of geradbraakt zijn, laat men de lijken daar hangen of liggen, totdat ze helemaal kaal zijn gevreten. Dan worden de botten in de grond begraven.
Radbraken: iemand op een groot wagenwiel vastbinden en met stokken net zo lang op de botten van armen en benen slaan, dat ze breken. In de zeventiende eeuw een 'gewone' manier om mensen te martelen.

Een echte struikeldag

Zondag 11 juli 1649.

Lieve Sterre,

Vanochtend is er iets vreselijks gebeurd. Toen ik met Titaan van mijn wandeling door de tuin terugkwam, waren Dirk en zijn vader er. Tenminste, Dirk kroop net uit het zolderraam het dak op en zijn vader was binnen bezig de schouw met grote lappen dicht te stoppen.

'Saluut, Dirk', schreeuw ik naar boven.

Dirk zwaait terug en klimt verder het dak op naar de schoorsteen. Over zijn schouder hangt een lang touw met aan het eind een ijzeren bal. Vlak daarboven zit een borstel met rondom allemaal lange stekels.

'Kijk je wel uit dat je niet naar beneden valt?' Volgens mij hoort hij me niet, want hij kijkt niet op of om. Steeds hoger kruipt hij, tot hij de rand van de schoorsteen vast kan pakken. Brrr, hij liever dan ik. Ik krijg al hoogtevrees als ik naar hem kijk. Eenmaal boven, laat Dirk de ijzeren bal met borstel en al in de schoorsteen naar beneden zakken. Ik loop naar binnen. De tegelvloer rond de schouw is helemaal zwart van het roet.

'Zo', zegt Dirks vader wanneer hij de vloer heeft schoongemaakt. 'Dat klusje is geklaard. Kan jouw vader weer even vooruit met stoken. Voor een schoorsteenbrand hoeft hij voorlopig niet bang meer te zijn.'

Op dat moment stormt Christiaan naar binnen. 'Mijn nieuwe verrekijker die ik op de jaarmarkt van de konstenaar in Delft heb gekocht. Heeft iemand die ergens gezien? Ik heb echt overal gezocht, maar ik kan hem nergens vinden. Vanochtend lag hij nog hier op tafel.'

En dan moeten Dirk en zijn vader bij papa op zijn werkkamer komen. Door de dichte deur kan ik papa horen praten. 'Ik zal duidelijk zijn, Jan.

De schout zal ik erbuiten laten, maar mijn schoorsteen hoef je niet meer te vegen. En die zoon van je wil ik hier niet meer zien. Nooit meer!'
Met een zwaai zwiept de deur open. Dirks vader kijkt zo kwaad, dat ik hem niet durf aan te kijken. Dirk zegt niets, maar volgens mij heeft hij gehuild.

En dat is nog niet alles. Het wordt nog veel erger. Als ik een paar uur later de woonkamer binnenkom, zit Titaan in een cirkel van snippers vrolijk om zich heen te kijken. Met in zijn bek een stuk papier dat nog het meest lijkt op de kaft van een schrift. Op het moment dat hij me ziet, komt hij kwispelend naar me toe gerend. De kaft stevig in zijn bek geklemd alsof het een verse prooi is. Voor mijn neus begint hij het nog eens wild door elkaar te schudden.
'Titaan!' schreeuw ik en probeer het karton uit zijn bek te trekken. Waarschijnlijk denkt Titaan dat ik met hem wil stoeien want hij begint als een gek te rukken en te grommen. Door het lawaai komt papa binnengestormd.
'Wat is hier nou weer aan de...? Oh nee hè, mijn gedichten! Mijn nieuwe schrift met gedichten. Helemaal aan flarden. Ook dat nog!'
Ondertussen zijn ook Trijntje en Marie op het lawaai afgekomen.
Papa vliegt op Titaan af. 'Jij monster! Als ik je te pakken krijg, ben je nog niet jarig.'
Titaan heeft allang in de gaten dat papa niet in de stemming is om met hem te spelen. Met de staart tussen de benen rent hij weg. Veilig onder de grote servieskast. Papa is in alle staten. Maar in zijn haast om Titaan in zijn nekvel te grijpen, glijdt hij uit over de papiersnippers die over de hele vloer van de kamer verspreid liggen. Met een bons valt hij achterover, plat op zijn gat. Trijntje en Marie moeten hem samen overeind helpen.
'Dat vreselijke beest', schreeuwt papa naar de ogen onder de kast. 'Had ik hem maar nooit gekocht. Trijntje, haal dat mormel onder die kast vandaan en sluit hem de rest van de dag op in zijn buitenhok.'
Verrekijker weg, papa's schrift met gedichten aan snippers: een echte struikeldag.

Ik leg mijn dagboek opzij. Daar zit ik, achter papa's schrijftafel met een berg snippers voor mijn neus die ik van hem moet uitzoeken. Net zo lang tot alle bladzijden weer compleet zijn en in de juiste volgorde naast elkaar liggen. Daarna moet ik alle gedichten netjes overschrijven op lege velletjes papier. De rest van deze dag ben ik daar wel zoet mee.
Tegenover me hangt het schilderij van ons vijven toen we klein waren. Met papa in het midden. Ik ben daar ongeveer drie jaar. Die krulletjes heb ik nog steeds. En Lodewijk ook. Hopelijk komt dat getreiter van hem niet uit zijn krullen. Ik moet er niet aan denken dat ik later net zo'n pestkop word als hij. 
'Kan ik je een handje helpen?' Ik heb Christiaan niet binnen horen komen. 'Ik ben dol op raadsels.'
Zonder op antwoord te wachten, begint hij in de stapel papier te grabbelen.
Na een kwartiertje heeft hij twee bladzijden compleet.
'Schrijf deze maar alvast over. Ik zoek de rest wel voor je uit.'
'Je bent een schat.'
'Ach, je moet wat overhebben voor je naamgenootje, vind je niet?'
Over de gestolen verrekijker houdt Christiaan gelukkig zijn mond.

Mizar

Tegen vijven ben ik eindelijk klaar en kan ik weer naar buiten. Achteraf is het nog meegevallen. Dankzij de hulp van Christiaan. Die zit aan de andere kant van de vijver op zijn dooie gemak te tekenen. Ook daar is hij heel goed in.

'Ah, Suzanna. Eindelijk klaar met je dichtwerk? Mag je nog even genieten van het mooie weer buiten.' Hij houdt de tekening van Hofwijck omhoog. 'Hoe vind je hem? Lijkt het een beetje?'

Vanaf de plek waar we zitten, kijk ik naar het huis. 'Prachtig, Christiaan. Werkelijk fantastisch. Kon ik maar zo goed tekenen als jij.'
Nadat Christiaan zijn schetsboek heeft dichtgeklapt, lopen we samen terug naar huis. Bij de ophaalbrug blijft hij staan.
Christiaan klopt op het been van het rechter standbeeld. 'Weet je nog wat ik je een paar maanden geleden heb verteld over Andromeda en Perseus?'
'Je bedoelt dat Perseus Andromeda uit de klauwen van het zeemonster heeft gered?'
'Exact. Wel, deze stenen reus hier is Perseus. Papa is verzot op oude Griekse verhalen. Hij vergelijkt de prinsen van Oranje graag met Perseus. Zij hebben de Staten van Holland uit de klauwen van de monsterlijke Spanjaarden bevrijd.'
Grappig idee. 'En dat grote beeld links voor de brug?'
'Dat is de Griekse god Hermes, de boodschapper van de goden. Hermes heeft Perseus geholpen met het doden van het zeemonster. Daarom staan ze hier samen.'

'Er is zoveel over Hofwijck dat ik nog niet weet, Christiaan. Het idee dat mama nooit heeft geweten dat dit prachtige huis bestaat.'
Christiaan legt een arm over mijn schouder. 'Ik kan me mama nog goed herinneren. Maar ik was ook al acht toen ze overleed. Voor jou lijkt het me veel moeilijker. Twee maanden is wel heel erg kort om je moeder te leren kennen.'
'Ach, ik weet niet beter. Als het kan, loop ik elke dag even langs het schilderij van mama en papa boven de schouw.'
'Je praat ook met haar, hè?'
'Hoe weet jij dat?'
'Zelf doe ik het ook wel eens. Niet zo vaak als jij, maar toch...'
Zwijgend kijken we naar de bomen in de tuin.
'Christiaan, geloof jij dat Dirk jouw verrekijker heeft gestolen?'
Christiaan kijkt me aan. Niet boos, maar wel ernstig. 'Het zit mij net zo dwars als jou, Suzanna. Eerlijk gezegd weet ik niet wat ik ervan moet denken. Dirk lijkt me niet echt iemand die zoiets zou doen. Maar er zijn sinds gisteren geen anderen in huis geweest. Behalve dan het personeel.'
Ik zucht. 'Misschien is er vannacht wel ingebroken. Zonder dat iemand het heeft gemerkt. Dat kan toch?'
'Ja, dat kan... in theorie.'

Zondag 25 oktober 1649.

Lieve Sterre,
Het is er niet meer van gekomen. Samen met Christiaan naar de sterren kijken. Hij heeft het waanzinnig druk gehad met het schrijven van een vreselijk ingewikkeld artikel over vloeistoffen. Dat moest en zou hij afmaken voordat hij met graaf Hendrik van Nassau-Siegen op reis ging naar Denemarken. Veel zin had hij er niet in. Maar hij is uiteindelijk toch gegaan, omdat papa dat zo graag wilde.
Nou ja, wilde... hij moest min of meer.

Papa wil, geloof ik, het liefst dat Christiaan ook diplomaat wordt.
Net als Constantijn. Lodewijk krijgt gelijk: dat wordt heel veel kletsen.
Arme Christiaan, dat is niets voor hem.
Afgezien van mijn dagelijkse lessen thuis is er in Den Haag weinig bijzonders gebeurd de afgelopen maanden. Papa was anderhalve maand op zakenreis naar Antwerpen en Gent. Twee weken geleden is hij teruggekomen. Philips zit in zijn kosthuis in Brabant en Constantijn blijft voorlopig nog wel even in het buitenland. Lodewijk zie ik weinig. Hij is meer op stap met Aarnout en zijn vrienden dan dat hij thuis zit.
Van Dirk heb ik niets meer vernomen sinds Christiaans nieuwe verrekijker kwijt is. Het zit me niet lekker. Ik blijf geloven dat Dirk niets met die verrekijker te maken heeft.

'Juffrouw Suzanna!' Trijntje komt aangerend met een brief in haar handen. 'Post voor u. Van de jongeheer Christiaan uit Denemarken.'

Denemarken, maandag 19 oktober 1649.

Lief zusje,
Als het aan mij ligt, is dit de laatste keer geweest dat ik met zo'n reis mee ga. Een carrière zoals papa die graag ziet, is niets voor mij. Daar ben ik nu wel achter. Gelukkig voor hem dat Constantijn het wél ziet zitten. En wie weet Lodewijk en Philips ook.
Maar genoeg geklaagd. Hoe gaat het met jou? Heb je alweer naar de sterren gekeken? Door alle voorbereidingen van deze reis en het schrijven van mijn artikel is het er niet meer van gekomen dat samen te doen. Helaas. Maar mocht je nieuwsgierig zijn: zondag 25 oktober staan Saturnus en de maan 's nachts vlak naast elkaar.
In het oosten, vrij laag bij de horizon. Saturnus is na Jupiter de helderste planeet. Als je niet weet of iets een ster of een planeet is:

planeten flikkeren niet. De verrekijker staat als het goed is bij het juiste raam. Hopelijk komt deze brief nog op tijd om je te waarschuwen.
Je broer Titaan.

PS: Ik mis die vrolijke, eigenwijze lach van je.

Den Haag, zaterdag 31 oktober 1649.

Lieve broer,
Je waarschuwing is net op tijd gekomen. Op de 25ᵉ 's middags! Wat een wazige planeet, die Saturnus. Hij lijkt meer op een draaitol dan op een mooie ronde bol zoals de maan. Een draaitol zonder steeltje. Ik ben lang niet zo goed in tekenen als jij, maar ik heb het toch geprobeerd.

Het interessantst vind ik toch nog steeds de Grote Beer. En dan vooral de ster Mizar. Ik weet nu bijna zeker dat er nog een ster naast staat. Hoe langer en vaker ik naar Mizar kijk, des te meer ik dat denk. Volgens mij is het de ster van mama: Sterre. Ze kijkt vanuit de hemel naar beneden, Christiaan!
Je 'eigenwijze' zus Suzanna.

PS: Een dikke knuffel van Titaan.

Denemarken, zondag 8 november 1649.

Lief zusje,
Wat je over Saturnus schrijft, is buitengewoon interessant. In 1610 heeft de Italiaanse geleerde Galileï al iets dergelijks waargenomen. Hij heeft Saturnus getekend als een bol met twee 'oortjes'. Zoals bij een theekopje, maar dan aan twee kanten. Ach, zat ik maar op zolder in Den Haag. Deze reis is complete tijdverspilling.
Over Mizar kan ik niets zinnigs zeggen. Misschien dat de lens zo veel vervormt dat je daardoor de ster gewoon dubbel ziet. Constantijn en ik hebben afgesproken samen aan mijn lenzenslijpmachine te werken. Als we allebei weer thuis zijn. Volgens ons moet het mogelijk zijn betere lenzen te maken dan die glasslijper uit Dordrecht. Van de jaarmarkt, weet je nog wel? Zoals het er hier nu voor staat, vertrek ik half december weer richting Holland.
Je broer Titaan.
PS: Bewaar je een van jouw hartverwarmende glimlachen voor me als ik weer thuiskom? En geef dat mormel Titaan maar weer een knuffel van me.

Galileo Galileï

Galileo Galileï (1564-1642) is een beroemde Italiaanse natuurkundige, astronoom en wiskundige in de zeventiende eeuw. Nog voordat Christiaan Huygens geboren wordt, beweert hij al dat de aarde om de zon draait en niet andersom. Dat heeft hem in het katholieke Italië bijna de kop gekost. In 1609 hoort Galileï van de uitvinding van de verrekijker door de Middelburger Hans Lipperhey. Met een verbeterde versie van die 'Hollandse kijker' ontdekt hij veel verschijnselen aan de sterrenhemel. Christiaan Huygens gaat verder met dit onderzoek.

Den Haag, woensdag 11 november 1649.

Lieve broer,
Het is afgelopen met sterren kijken. Gisteren heeft Lodewijk mij verraden. Hij zei, dat hij wel eens wilde weten wat ik al die nachten op jouw kamer deed. Een lawaai dat hij op de trap maakte. Volgens mij had hij gedronken.
Door zijn gestommel schrok Titaan wakker en begon hij als een gek te blaffen. Iedereen in huis dacht dat er inbrekers waren. Tante Zeur was furieus. Nu zit jouw deur op slot en kan ik er niet meer in.
Verder is het erg saai thuis. Alleen de dans- en muzieklessen zijn leuk.
Ik verheug me op jouw thuiskomst.
Je zus Suzanna.

Saai, ja. Dat is het goede woord. Ik loop naar opa's schilderij: opa Christiaan Huygens. Christiaan is naar hem vernoemd.
Zeg eens eerlijk, opa: vindt u het soms ook niet ontzettend saai om hier de hele tijd aan de muur te hangen? En maar kijken of alles goed gaat.
U hoeft niets te zeggen, hoor. Dat kan u toch niet, want schilderijen kunnen niet praten. Maar ik zal u eerlijk zeggen, opa: wat mij betreft gebeurt er eens iets geks. Gewoon. Zomaar iets geks.

Opa Christiaan Huygens

Vrijdag de dertiende

Hoe is het mogelijk. Vrijdag de dertiende. En dan ook nog eens van de elfde maand. Het gekkengetal. Dat belooft niet veel goeds vandaag.

Tot mijn stomme verbazing staat Dirk vanochtend voor de poort. Hij friemelt een beetje onhandig aan de pet tussen zijn vingers. 'Ik moet je wat laten zien, Suzanna.'

'Hallo.' Iets anders weet ik niet direct te zeggen.

'Oh ja, ook hallo.'

Met Titaan kwispelend achter me aan, volg ik Dirk het Plein op, de Lange Poten door en dan de Spuistraat in tot aan het Achterom. Voor zijn huis blijft hij staan. 'Je moet mee naar binnen.'

'Is je vader thuis?'

Dirk schudt zijn hoofd. 'En mijn moeder ook niet. Als hij thuis was, had ik je hier nooit mee naartoe genomen. Hij is nog steeds ontzettend boos op jouw vader. Hij heeft me verboden ook maar bij jullie huis in de buurt te komen.'

Als we binnen zijn, loopt Dirk direct door naar de werkkamer van zijn vader. Op de brede werktafel ligt een rechthoekige doos. Voorzichtig maakt Dirk hem open. Het lijkt wel of mijn hart in één keer een driedubbele salto maakt. In de doos ligt de nieuwe verrekijker van Christiaan!

'Denk je dat jouw vader hem...'

Dirk knikt. Hij durft niets te zeggen.

'Wie weet, wilde hij hem alleen maar even lenen. Om na te maken bijvoorbeeld. Je zei toch dat hij dolgraag wilde weten hoe een verrekijker werkt? En geld om er een te kopen heeft hij misschien niet.'

'Zou kunnen', antwoordt Dirk. 'En dan nog. Dan kon hij het toch gewoon vragen? Wat nu, Suzanna?'

'Nou gewoon... teruggeven.'

'Alsof dat zo gewoon is. Ik zie het al voor me. Goedendag, meneer Huygens. Mooi weertje vandaag, hè? Oh ja, hier is uw verrekijker terug. Mijn vader heeft hem even geleend om na te maken. Dat vindt u toch niet erg, hè?'

'Nee, zo niet natuurlijk.'

'Hoe dan?'

Wat moet ik daar nu weer op zeggen? 'Wacht, ik krijg een idee. Geef hem aan mij mee. Dan bewaar ik hem tot Christiaan terugkomt uit Denemarken. En dan geef ik hem aan hem terug. Niemand hoeft er iets van te weten. Zeker papa niet. Christiaan begrijpt dat vast wel.'

'En mijn vader dan?'

'Hij gaat toch niet aan de grote klok hangen dat de verrekijker die hij van Hofwijck heeft meegenomen weer is gepikt? Door iemand anders?'

'Ik vind het zo vreselijk, Suzanna. En ik schaam me dood voor mijn vader.'

Ik kan zien dat Dirk zich uit alle macht probeert goed te houden.

Dan leg ik een arm over zijn schouder. 'Het komt allemaal goed, Dirk. Heus. Vertrouw op mij.'

Maandag 16 november 1649.

Lieve Sterre,

Help! Drie dagen zijn voorbij en nog steeds heb ik niets van Dirk gehoord. Weet jij wat ik met de verrekijker van Christiaan moet doen? Teruggeven aan Christiaan kan niet zolang hij nog niet thuis is. En dat duurt minstens tot eind december. Schrijven durf ik ook niet goed. Straks vertelt hij alles aan papa en dan heb je de poppen helemaal aan het dansen. Afschuwelijk. Ik kan nergens anders meer aan denken. Mijn luit en het klavecimbel heb ik al dagen met geen vinger aangeraakt.

Donderdag 19 november 1649.

Lieve Sterre,
Ook gisteren en eergisteren geen Dirk te bekennen.

Vanachter het klavecimbel kijk ik naar de tien vellen Franse woordjes op tafel. Constantijn krijgt een beroerte als hij merkt dat ik ze niet heb geleerd. Dat is nog nooit gebeurd.
'Juffrouw Suzanna.' Om de hoek van de deur verschijnt het hoofd van Marie. 'Achter in de tuin staat een jongeman voor u. Hij wil niet verder komen, maar het is dringend, zegt hij.'
Dirk! Zo snel ik kan, sla ik mijn mantel om me heen en loop de tuin in. Al van verre zie ik dat hij het is. Niemand kan zo nerveus aan zijn pet draaien als hij.
'Excuus', zegt hij als ik bij hem ben. 'Eerder komen lukte echt niet. Mijn vader is ziedend, weet je. Die verrekijker heeft hem bijna een half jaarsalaris gekost, zegt hij.'
'Wacht even, Dirk. Ik ben bang dat ik het even niet vat. Wat bedoel je met half jaarsalaris? Wie zijn jaarsalaris?'
'Dat van mijn vader, natuurlijk', zegt Dirk ongeduldig. 'Hij zegt dat hij de verrekijker in een winkeltje achter de Nieuwe Groenmarkt heeft gekocht: *Den Soeten Inval.*'
'Je bedoelt...'
'... dat mijn vader de verrekijker helemaal niet heeft gestolen, maar eerlijk heeft gekocht.'
'Wat moet jouw vader eigenlijk met een verrekijker? Hij is toch schoorsteenveger?'
'Weet je nu al niet meer wat ik je een tijdje geleden heb verteld? Hij wil leren lenzen slijpen voor brillen en verrekijkers.'
'Dat is waar ook. Excuus, Dirk, dat was ik even vergeten. Wat heb jij hem gezegd? Heb jij hem van mijn plan verteld?'
'Ben je helemaal zot? Nee, natuurlijk niet. Maar ik moet de verrekijker terug

la maison
la cuisine
la chambre
le copain
le jardin
blanc
de chou
rouge
d'été

hebben, Suzanna. Nu! Mijn vader smijt al vijf dagen met alles wat hij in handen kan krijgen. Weet je wel wat dat betekent, een half jaarsalaris?' Allemachtig. Als het klopt wat Dirks vader beweert. Maar wie heeft die verrekijker dan wel weggenomen? Stilletjes terugleggen? Dirks vader is niet gek. Hij lijkt me niet iemand die dat zomaar pikt. Volgens mij zal hij niet rusten voor hij weet wie hem die poets heeft gebakken. Thuishouden? Kan ook niet.

'Wacht. Ik ben zo terug.' Twee minuten later sta ik bij de heg met de verrekijker in de doos onder mijn wintermantel. 'Kom mee.' Ik pak Dirk bij zijn arm. 'Dit zaakje stinkt behoorlijk. Op naar *Den Soeten Inval*. Ik wil wel eens weten hoe die winkelier aan die verrekijker is gekomen. Vreemde naam trouwens: *Den Soeten Inval*. Veel meer iets voor een herberg of een suikerbakkerij* of zo.'

Suikerbakkerij: banketbakker.

In Den Soeten Inval

Buiten is het koud en guur. Naast een van de kraampjes op de Nieuwe Groenmarkt staat een jongen driftig in zijn handen te blazen. 'Daar', wijst hij als ik hem naar *Den Soeten Inval* vraag. 'Op de hoek van de Prinsengracht. Schuin tegenover die zeilboot.'

Den Soeten Inval. Het roestige uithangbord schommelt knerpend heen en weer in de wind. Als we naar binnen stappen, rinkelt een doffe bel.

Veel te dof. En daarbij nog vals ook.

'Een hele goede morgen, juffrouw...?' Een stoffige man richt zich op vanachter de toonbank en kijkt ons met geknepen ogen aan.

'Huygens.'

De achterdochtige manier waarop hij ons bekijkt, bevalt me niets.
'Huygens, hè? Juist ja. En wat kan ik voor u d... uche, uche.' De man loopt rood aan en na een paar stevige rochels spuugt hij een vette fluim in een pot ergens onder de toonbank. '...voor u doen?'
Bah, wat een vies mannetje. Aan zijn neus hangt een dikke snottebel. Ik moet mijn uiterste best doen om beleefd te blijven. 'Niets, meneer.'
De winkelier kijkt van mij naar Dirk en weer terug. Steeds argwanender.
'Het is meer andersom. U kunt wat voor ons doen.' Ik zet de doos op de smoezelige toonbank en klap het deksel open.
'Aha, de verrekijker van meneer Huygens.' De snottebel is nu zo groot geworden dat hij ieder moment naar beneden kan vallen. Straks belandt hij nog in de doos. Gelukkig veegt hij hem net op tijd af met zijn mouw.
'Hoe bedoelt u? Hoe weet u dat deze verrekijker van mijn broer is?'
'Nou, gewoon natuurlijk.'
'Hoezo gewoon?'
'Omdat hij hem persoonlijk bij me heeft gebracht om ehhh... te verkopen. Hij had dringend geld nodig, zei hij. Uche, uche.' Zijn vette gerochel galmt door heel de winkel.
'Christiaan? Zijn verrekijker verkopen? Dat lijkt me stug.'
'Wat bedoelt u met meneer Christiaan? Meneer Lodewijk, juffrouw, niet meneer Christiaan. Hij heeft het geval gevonden in de kroeg. De Zwaan, weet u wel?

Waar nog geen half jaar geleden die Engelsman is vermoord. Arme vent. Gelukkig hebben ze de daders gepakt.'

Daders? Het beeld van de herbergier en zijn vrouw, uitgezakt op de wagenwielen, danst opnieuw voor mijn ogen. En ik weet ook nog goed wat Marie daarover heeft gezegd.

'Toen de verrekijker na twee weken nog niet was opgehaald, heeft hij hem aan mij verkocht. Al dat gekoekeloer naar de hemel is niets voor mij, zei hij.'

Even duizelt het voor mijn ogen. Lodewijk?

'Dus u hebt die verrekijker van meneer Huygens gekócht?' Dirk zijn gezicht klaart helemaal op. 'Dat betekent dat mijn vader...'

'...hem van mij heeft gekocht. Wis en waarachtig. Ik koop wat mensen kwijt willen en raak het weer kwijt aan mensen die het hebben willen. Zo werkt dat bij een koopman. Toch? Maar uw vader heeft hem voor een zeer schappelijk prijsje gekocht, dat kan u verzekeren.'

Het is dus Lodewijk geweest die de verrekijker in Hofwijck heeft weggepakt. En niet Dirk. 'Voor hoeveel hebt u de verrekijker van Lodewijk gekocht?'

'Dat gaat u niets aan.'

'Zo u wilt.' Ik draai me om en geef Dirk een arm. 'Dan komen wij over een uurtje terug met de schout. Aan hem wilt u het misschien wel vertellen. Ik wens u nog een prettige ochtend, meneer.'

'Hoho, stop!' De angst heeft hem echt te pakken, ik zie het aan zijn ogen. Hebbes.

'Ja?'

'Vijftig gulden*', gromt hij.

'Vijftig?' herhaalt Dirk. 'Wat een afzetterij. Mijn vader zegt dat zo'n verrekijker minstens drie keer zo duur is. Als zo'n ding werkelijk vijftig gulden kost, had hij er vorig jaar al wel eentje kunnen kopen.'

Ik denk dat ik weet hoe de vork in de steel zit. Die vent van *Den Soeten Inval* had natuurlijk allang in de gaten dat er iets niet pluis was met die verrekijker. En Lodewijk durfde niet te protesteren. Hij moest hem dus wel voor zo weinig verkopen.

'Voor hoeveel hebt u hem doorverkocht aan Dirks vader?'

'Ik heb niemand het vel over de oren gehaald, als u dat soms bedoelt. Ik kan u verzekeren dat ik hem voor een schappelijk prijsje...'
'Jaja, van Lodewijk hebt gekocht. Zeg op, voor hoeveel hebt u hem doorverkocht?'
Met veel gerochel haalt de winkelier zijn neus op. De stoppels op zijn keel bewegen mee omhoog als hij het kwakje doorslikt. Jakkes, wat een misselijk makend mannetje. Hoe eerder we hier weer weg zijn hoe beter.
'Vijfennegentig', sputtert hij ten slotte.
Bijna twee keer zo veel! 'Dan weet ik het goed gemaakt. Uw winst is dus vijfenveertig gulden. U kunt kiezen: de schout of de fout.'
De winkelier kijkt me argwanend aan. 'Wat bedoelt u met fout?'
'Nou gewoon. Stel, dat mijn broer Lodewijk niet helemaal eerlijk aan die verrekijker is gekomen. Wie gestolen waar koopt, zit zelf ook fout. Die fout, snapt u? Weet u wat? U geeft mij de winst en maakt de koop ongedaan. Nu. Hier ter plekke!' Dat ik dit allemaal durf te zeggen. Ik ben verbaasd over mezelf. Maar ik moet en zal het goedmaken voor Dirk. En zijn vader.
'Maar juffrouw, ik moet ook leven.'
'Zoals ik al zei: de schout of de fout.'

Vijf minuten later staan Dirk en ik weer op straat voor *Den Soeten Inval.* Met in mijn ene hand de verrekijker en in de andere vijfenveertig gulden.
'Waarom heb je die sjacheraar niet verteld dat Lodewijk de verrekijker van zijn bloedeigen broer heeft gestolen? Mijn vader zal ziedend zijn als hij hoort dat ze mij vals hebben beschuldigd.' Dirk kijkt me woedend aan. 'En wat ben je met de verrekijker van plan? Aan Christiaan teruggeven? En al dat geld? Dat is van mijn vader!'
'Excuus, Dirk. Maar ik wil eerst zeker weten of Lodewijk het gedaan heeft. Ik kan het nog steeds niet geloven. Maar maak je geen zorgen, alles komt bij je vader terug. Op mijn erewoord.' Nog diezelfde avond begin ik aan een lange brief aan Christiaan.

Gulden: of gulden (gouden) florijn. Munt. Voor één gulden kon je wel 25 broden kopen.

Verrassing

Denemarken, dinsdag 1 december 1649.

Lief zusje,
Werkelijk, jouw brief van 19 november heeft me diep geschokt.
Dat Lodewijk in de gaten gehouden moet worden, heb jij al eerder duidelijk gemaakt. Na de kermis, weet je nog? Maar dat hij dit zou doen...
Zeker na jouw brief voel ik me verder weg van jullie allemaal dan ooit. Was ik nu maar in Den Haag, dan had ik misschien met Lodewijk kunnen praten. Hoe dan ook, één ding staat voor mij als een paal boven water: Dirks vader mag hier absoluut niet de dupe van worden. Wat je ook beslist, Suzanna, ik wil dat mijn verrekijker naar hem wordt teruggebracht.
Tot slot: ik vind het heel nobel van je om Lodewijk nog een kans te geven, maar als het je niet lukt hem te overtuigen, moet je regelrecht naar papa gaan. Beloof je dat?
Je broer Titaan.

Ik heb nog steeds geen geschikt moment kunnen vinden om Lodewijk te spreken. Als hij al thuis is, is er meestal wel iemand bij hem of heeft hij 'nu even geen tijd'. Het begint me knap op mijn zenuwen te werken. Ik voel dat Dirk elke dag wacht op een berichtje van mij. En elke dag is er een te veel. Plotseling krijg ik een inval. Als er iemand nieuwsgierig is... Snel scheur ik een strook van een van mijn velletjes Franse woordjes en begin te schrijven.

Lodewijk,
Ik heb een verrassing voor je. Kom na het middagmaal naar mijn kamer.
Zeg het vooral tegen niemand, want dan is de verrassing eraf.
Suzanna.

Vlak voor we aan tafel gaan, schuif ik het briefje stiekem onder zijn servet.
Ik heb gelijk. Nog geen tien minuten na het eten wordt er op mijn kamerdeur geklopt.
'Wel, wel', lacht Lodewijk. Hij stapt naar binnen. 'Wat spannend. Mijn kleine zusje die een verrassing voor me heeft. En, wat wil je me vertellen? Of laten zien?'
'Dit.' Vanonder het bed haal ik de doos tevoorschijn en leg hem open op tafel. Samen met de vijfenveertig gulden.
In één keer is de grijns van Lodewijks gezicht verdwenen. 'Hoe kom je daar aan?'
'Dat kan ik beter aan jou vragen, Lodewijk.'
'Je hebt mij er ingeluisd met dat briefje van je. Wat ben jij een achterbaks kreng!'
'Oh, nou ben ik opeens achterbaks? En jij dan? De verrekijker van Christiaan stelen en Dirk de schuld geven. Wie van ons tweeën is er hier eigenlijk achterbaks?'
Lodewijk ijsbeert door de kamer. 'Ik had geld nodig om mijn schulden af te lossen.'
'Schulden?'
'Speelschulden. Met kaarten in de kroeg, twee avonden ervoor.'
Lodewijk durft mij niet aan te kijken. Mooi zo. Dat is een goed teken.
'En daar laat jij Dirk voor opdraaien? Heb jij enig idee hoe hij zich al die tijd heeft gevoeld? Knap beroerd, dat kan ik wel zeggen.'
'Het was niet mijn bedoeling om de verrekijker te stelen. Echt niet. Alleen maar belenen bij de lommerd*. Als onderpand. Met het geld dat ik ervoor kreeg, kon ik mijn schulden afbetalen.'
'En hoe wilde je de verrekijker van de lommerd terugkopen?'

'Gewoon, met dobbelen. Een avondje geluk en ik heb het geld zo weer bij elkaar. Maar de lommerd vertrouwde me niet, en toen...'

'...heb je de verrekijker verkocht.'

Lodewijk knikt. 'Wat doen die vijfenveertig gulden daar?'

'Van de winkelier van *Den Soeten Inval*. Het verschil tussen wat jij hebt gekregen en wat Dirks vader heeft betaald. Ik heb de koop ongedaan gemaakt.'

'Dirks vader? De koop ongedaan gemaakt? Hoe heb je dat voor elkaar gekregen?'

'Dat is nu even niet belangrijk, Lodewijk. Jij moet de verrekijker mét het geld terugbrengen naar Dirks vader. Vanmiddag nog.'

'Vanmiddag heb ik geen tijd.'

'Dan niet.' Ik klap het deksel van de doos dicht. 'Dan moet je het zelf maar weten.'

Lodewijk kijkt me wantrouwend aan. 'En Christiaan dan? Het is zijn verrekijker.'

'Niet meer. Dirks vader heeft hem eerlijk gekocht. Christiaan vindt dat ook.'

'Hoezo, weet Christiaan ervan af dan? Heb je hem geschreven?'

Ik knik.

'Kreun! En papa, weet die het ook?'

'Dat hangt van jou af. Het is slikken of stikken, Lodewijk.'

'Je bedoelt zeker dat als ik niet naar Dirks vader ga, jij het papa vertelt. Wat moet ik in hemelsnaam tegen die schoorsteenveger zeggen? Hij vermoordt me als hij er achter komt dat ik het ben geweest.'

'Dat is jouw probleem. Maar ik neem aan dat je wel een of ander verhaaltje in elkaar kunt knutselen. Daar heb je anders ook nooit moeite mee. Dat hij geld op de koop toe krijgt, zal zeker helpen.'

'En Christiaan dan?'

'Misschien kun je de verrekijker van Dirks vader terugkopen.'

'Ik heb het geld niet meer.' Lodewijk graait de doos met het geld van tafel en dendert zonder boe of bah te zeggen de kamer uit. De deur valt met een smak achter hem dicht. Gelukt!

Twee uur later is hij terug. Hij kijkt me nauwelijks aan. Enkel een kort knikje en dan verdwijnt hij weer, even snel als hij is gekomen. Daar moet ik het dus mee doen. De kans dat ik van hem iets wijzer word, is klein. Het is dus zaak Dirk snel te pakken te krijgen en vragen hoe het is afgelopen.

Dinsdag 22 december 1649.

Lieve Sterre,
Het lijkt wel of Dirk van de aardbodem is verdwenen. En ook Lodewijk ontwijkt mij van alle kanten. Wat is dat voor malligheid? Ik heb toch geen besmettelijke ziekte of zo?
Eergisteren is Christiaan teruggekomen uit Denemarken. Ik heb hem nog niet alleen kunnen spreken. Dat hele gedoe met die verrekijker hangt me aardig de keel uit.

In de hal staat Aarnout van Overbeke. Alsof hij geroken heeft dat Christiaan terug is. Het zou me niet verbazen als hij weer iets in zijn schild voert.
'Ha, die Christiaan. Jij bent lang weggeweest. Hoe is het je bevallen in dat hoge Noorden?'
'Het gaat. Ik had vurig gehoopt een goede vriend van papa te ontmoeten. Hij woont sinds een paar jaar in Zweden. Ik had dolgraag een paar wiskundige problemen met hem besproken, maar het mocht niet zo zijn, helaas. Het weer was te slecht.'
'Ben je alleen daarvoor op reis gegaan? Dat is wel een erg grote opoffering voor een bezoekje van een paar dagen.'
'Papa heeft er sterk op aangedrongen, maar wat mij betreft is het de laatste keer geweest. Ik besteed mijn tijd liever aan andere zaken.'
'Zoals?'
'Onderzoeken, uitvinden. De klokken die ze aan boord van schepen gebruiken, werken van geen meter. Het moet mogelijk zijn er eentje te ontwerpen die betrouwbaarder is. Of de sterrenhemel bestuderen. Daar is nog eindeloos veel te ontdekken.'
'Ja, eindeloos is de hemel zeker. Maar nu je het toch over uitvinden

hebt.' Het gezicht van Aarnout krijgt een samenzweerderige uitdrukking.
'Constantijn heeft me verteld dat jij een apparaat hebt gemaakt waarmee je skeletten op een muur kunt toveren. Zonder dat je ze schildert. Hij noemde het een toverlantaarn of zoiets.'
'Oh, die. Excuus, Aarnout, maar dat is niet echt een wetenschappelijke uitvinding. Het is meer een speeltje uit mijn kinderjaren.'
'Je hebt hem dus nog wel?'
'Dat wel, maar ik weet echt niet meer waar de lenzen zijn. Wat wil je eigenlijk?'
'Moet je luisteren, Christiaan. Ik heb een plannetje. Als jij dat ding van jou eens van zolder haalt en ik schrijf een spannend verhaaltje, dan zouden we samen...'
Aarnout legt vriendschappelijk een arm om Christiaans schouders en begint in zijn oor te fluisteren.

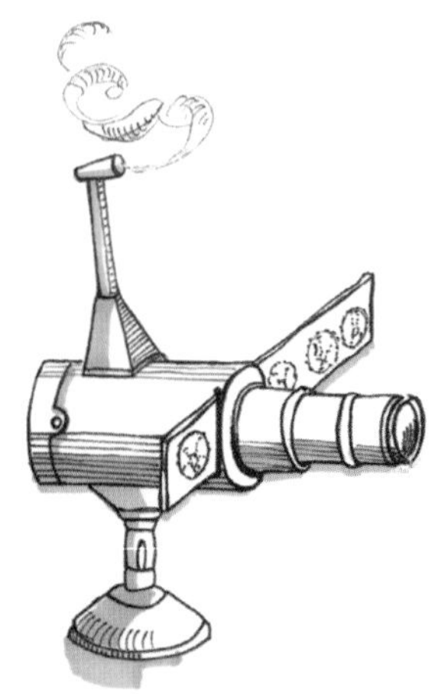

Toverlantaarn

Een toverlantaarn is een apparaat dat tekeningen op glasplaatjes kan uitvergroten op bijvoorbeeld een muur. In het kastje zit een lichtbron, een kaars of een olielampje. Dit licht schijnt door het glaasje heen en wordt door een lens in de buis aan de voorkant vergroot.
Op de muur verschijnt dan een levensgroot beeld.
Helaas bestaat de toverlantaarn van Christiaan Huygens niet meer.
Hij heeft de toverlantaarn nooit echt een wetenschappelijke uitvinding gevonden, maar meer een gewoon speelgoedje. En wetenschappers maken toch geen speelgoed? De oudste nog bestaande toverlantaarn is uit 1720 en staat in het Museum Boerhaave in Leiden.

Lommerd: iemand bij wie je kostbare spullen in bewaring kunt geven. Daar krijg je van de lommerd geld voor. Als je de spullen terug wilt hebben, moet je het geleende geld mét rente terugbetalen.

De malloot en de Dood

De dagen daarna is Aarnout niet meer bij ons thuis geweest. Tot een dag na Kerstmis. Dan komt hij onverwachts binnen met een grote houten kast onder de arm. Aan de kast zitten twee buizen. Bovenop een scheve en aan de voorkant een rechte. De rechte buis lijkt nog het meest op een verrekijker.
'Vanavond,' roept hij en zet het vreemde ding op tafel, 'krijgen jullie iets te zien dat nog nooit is vertoond. Een magische voorstelling met de toverlantaarn!' Daarbij kijkt hij triomfantelijk de kring rond. Het lijkt warempel wel of Christiaan zich een beetje voor Aarnout schaamt.

Op de wand naast de schouw is een groot wit laken gespannen. Aarnout heeft een dikke kaars aangestoken, die hij door een luikje in de kast zet. De metalen buis boven op het kastje is vast een soort schoorsteentje. Anders zit het kastje natuurlijk binnen de kortste keren onder het roet. Uit zijn schoudertas haalt Aarnout een stapeltje glasplaatjes en legt dat naast de toverlantaarn op tafel. Nadat hij de plaatjes op volgorde heeft gelegd, pakt hij er een en steekt dat in een houten slede tussen de kast en de ronde buis.
'Hooggeacht publiek', begint hij.
'Ho, stop!' roept papa voordat Aarnout verder kan gaan. 'Eerst heeft Lodewijk ons wat te vertellen.'
Lodewijk staat op en loopt naar voren, waarbij papa hem strak blijft aankijken. Een beetje verlegen staat hij daar, met zijn handen op de rug.
'Ik eh, ik heb... ik heb iets heel stoms gedaan.' Nog nooit heb ik Lodewijk zo horen hakkelen. Achter zijn rug haalt hij een doos tevoorschijn. 'Ik, eh...' Weer kijkt hij naar papa. 'Christiaan, dit is voor jou. Van mij.'
Christiaan neemt de doos aan. Vreemd, hij maakt hem niet eens meteen open. Op dat moment gaat de kamerdeur open en stapt Dirk met zijn vader naar binnen.

'Aha, eindelijk', roept papa. 'Ik was al bang dat jullie je bedacht hadden. Kom binnen en ga zitten. De voorstelling is gelukkig nog niet begonnen.'
'Hè?' fluister ik als Dirk goed en wel naast me zit. Titaan kruipt meteen behaaglijk bij hem op schoot.
'Sstt, Suzanna', zegt papa. 'De voorstelling begint.'
Als Aarnout de slede naar rechts schuift, verschijnt op het witte laken een prachtige tuin. Allemachtig! Ik kan mijn ogen nauwelijks geloven. Een tuin, hier binnen in de kamer op de muur. Dit is werkelijk een magische lantaarn. Zelfs papa is onder de indruk. 'Mirakel!' roept hij verrukt. 'Hier had Constantijn bij moeten zijn. Die had het vast fantastisch gevonden. Morgen zal ik onmiddellijk een brief naar Genève sturen met een verslag van dit schouwspel.'
'In Barbizon, een gehucht niet ver van Parijs,' begint Aarnout, 'woonde eens een tuinman: Toot.'
Nu pas zie ik het kromme mannetje, dat voorovergebogen in de tuin staat te spitten.
'Iedereen in het dorp noemde hem Toot de Malloot, omdat hij, laten we zeggen, een beetje simpel was.'
'Haha, Toot de Malloot', lacht Philips. 'Hij lijkt inderdaad sprekend op jou, Lodewijk.'
Lodewijk grijnst een beetje schaapachtig terug.
'Toot,' gaat Aarnout verder, 'liep zo krom van de jicht, dat zijn neus bijna tot op zijn knieën hing. Op een ochtend, toen hij in de tuin van zijn meester aan het werk was, kwam de Dood doodleuk binnenwandelen...'
Aarnout duwt de schuif van de toverlantaarn naar links en weg is de tuin.
Snel verwisselt hij het glasplaatje en het volgende moment krijgen we een broodmagere figuur te zien met in zijn rechterhand een grote gevaarlijke zeis.
Ha, hij lijkt warempel op die rare snuiter van de trekschuit, meneer Voetius. Toeval?
Aarnout kennende vast niet.

'...Dat is nou ook toevallig dat ik jou hier tref,' zei de Dood verrast en stak uitnodigend zijn hand uit. 'Ik ben net op zoek naar een zekere Toot.'
De knecht verstijfde bij het noemen van zijn naam en ontweek de uitgestoken hand van de Dood. Straks val ik hier ter plekke dood, dacht hij. Mij niet gezien. 'Dan niet,' zei de Dood opgewekt, 'Jij je zin. Ik kan nog wel een dagje wachten. Wat is uiteindelijk één dag op een heel mensenleven, nietwaar?' En weg was hij weer.
Toot moest even op adem komen: één dag. Eén dag nog maar om te leven. Heel even raakte hij in paniek, maar toen kreeg hij een zoete inval.'
Arnout wisselt weer van plaatjes. Ik zie nu de Dood met Toot erachteraan.
'Bij de herberg stond de Dood stil en keek achterom. Natuurlijk had hij allang in de smiezen dat Toot hem volgde. 'Kom vriend,' zei de Dood joviaal. 'Laten we er eentje drinken. Op jouw gezondheid. Ik trakteer.' Samen stapten ze naar binnen. Toot hield de Dood nauwlettend in de gaten. En toen deze de zeis even opzij legde om zijn pint te legen, vloog Toot op en greep de zeis. 'Zo,' riep hij terwijl hij de herberg uitrende. 'Een knappe Dood die mij zonder dit ding nog wat doet!' En weg was hij.
Twee dagen later was Toot nog steeds springlevend. 'Het is me gelukt,' jubelde hij. 'Toch aardig van de Dood om mij op tijd te waarschuwen.' Nog nooit had Toot zo opgewekt de rozen gesnoeid. Had hij de Dood toch maar even mooi om de tuin geleid.
Maar de mensen begonnen hem te ontwijken. Niemand maakte nog een praatje met hem of gaf hem schouderklopjes voor het werk in de tuin, zoals vroeger. En wat nog wel het vreemdst was: eetlust had hij niet meer. Met de dag werd hij bleker en magerder.'
Aarnout kijkt de kring rond.
'Is dat alles?' roept Philips. 'Ga verder. Hoe loopt het af met Toot?'
Aarnout grijnst van oor tot oor. 'Wie doet ook zoiets stoms? Neem van mij aan, Philips, blijf met je fikken van andermans spullen af. Dat maakt alleen maar brokken.'
'Je bedoelt?' zegt Philips.
'Niemand kan tegen de maan pissen, Philips. Je bent een malloot als je denkt dat je de Dood kunt ontlopen.'

'Je bedoelt dat Toot zelf de Dood is geworden.'
Het laatste plaatje op de muur is dat van een lachende Dood.
Achter een grote tafel vol met lekkernijen. En met blozende wangen, wrijvend over zijn buik. Of liever gezegd: over de plek waar zijn buik zou moeten zitten. *Van ruilen komt huilen*, staat er met dikke letters onder.
Even is het helemaal stil in de kamer.
'Wie heeft dat gezicht van de Dood getekend?' vraagt tante Suerius scherp.
'Jij, Christiaan?'
'Ik, mevrouw', roept Aarnout vrolijk. 'Sprekend Voetius, vindt u niet?'
'Eerlijk gezegd kan ik er niet om lachen.' Tante staat op en loopt demonstratief naar de deur.
Gelukkig maar dat ze de knipoog van Aarnout naar Christiaan niet ziet.
Het huis was te klein geweest, dat weet ik zeker.
'Excuus', mompelt Aarnout met zijn rug naar papa als tante de kamer uit is. 'Maar wat een zemelknoper, die tante van jullie.'

'Mag ik eindelijk weten wat er hier allemaal aan de hand is?' Hopelijk praat ik zo zachtjes dat alleen Dirk mij hoort. 'Ik dacht dat jouw vader niets meer met ons te maken wilde hebben.'
'Ik weet er het fijne ook niet van, Suzanna. Maar jouw vader heeft mijn vader geld geleend. Voor apparatuur om lenzen te gaan slijpen. En mijn vader heeft ook een andere verrekijker gekregen.'
'Hè?'
'Om het goed te maken, denk ik.'
Op dat moment wenkt Christiaan me en loopt de kamer uit, de gang op. Hij opent de doos die hij van Lodewijk heeft gekregen. Zijn eigen verrekijker ligt erin!
Voordat ik iets kan vragen, zegt hij: 'Lodewijk heeft me alles verteld, Suzanna. Ik heb hem zover kunnen krijgen dat hij alles aan papa heeft opgebiecht. Papa heeft Lodewijk geld geleend om een andere verrekijker voor Dirks vader te kopen. Maar hij moet alles tot op de laatste penning terugbetalen.'
We lopen de trappen af, door de hal de tuin in. Het is een heldere hemel vannacht. Christiaan richt zijn verrekijker op de sterren van de Grote Beer. Zeker een minuut lang blijft hij naar Mizar kijken.
'Zie je wel dat het twee sterren zijn?'
'Nu je het zegt, Suzanna...'
'De kleinste is Sterre, Christiaan. De ster van mama. Ik weet het zeker.'

Nieuwsgierig naar Hofwijck?

Hofwijck bestaat nog steeds. Je kunt een kijkje gaan nemen in het huis en de tuin waar dit boek zich voor een deel afspeelt. De buitenplaats van de familie Huygens is een bijzonder museum geworden.
Zie verder www.hofwijck.nl.

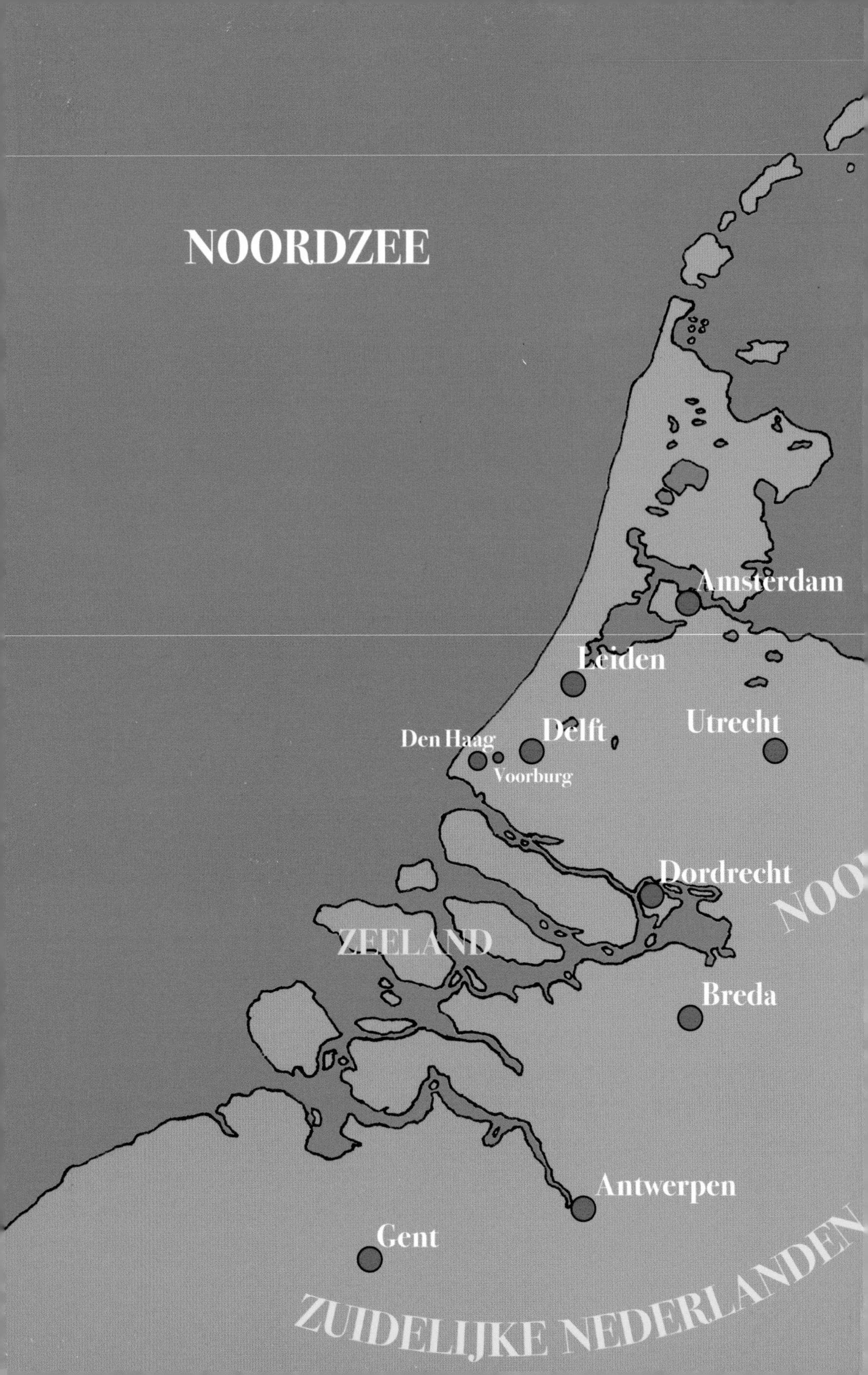
NOORDZEE
Amsterdam
Leiden
Den Haag
Delft
Utrecht
Voorburg
Dordrecht
NOO
ZEELAND
Breda
Antwerpen
Gent
ZUIDELIJKE NEDERLANDEN